collection roger-bernard

Américanité et francité

Essais critiques sur les littératures d'expression française en Amérique du Nord

DU MÊME AUTEUR

Jules Tessier et Pierre-Louis Vaillancourt, s. la dir. de, *Les Autres Littératures d'expression française en Amérique du Nord*, Ottawa, Éditions de l'Université d'Ottawa, 1987, 164 p.

Nicole Maury et Jules Tessier, *À l'écoute des francophones d'Amérique*, Montréal, Centre éducatif et culturel, 1991, 403 p.

Concordance synoptique de Menaud, maître-draveur, Université d'Ottawa, CRCCF, 1999, 400 p.

Roger Le Moine et Jules Tessier, s. la dir. de, *Relecture de l'œuvre de Félix-Antoine Savard*, Montréal, Fides, 1999, 194 p.

Jules Tessier

Américanité et francité
Essais critiques sur les littératures d'expression française
en Amérique du Nord

LE
N rdir

LA COLLECTION ROGER-BERNARD est ainsi nommée en hommage à ce sociologue, dont le manuscrit *De Québécois à Ontarois* fut à l'origine de la fondation du Nordir, et dont les travaux ont marqué la vie intellectuelle canadienne-française. Il est décédé en juillet 2000, à l'âge de 55 ans.

Données de catalogage avant publication (Canada)
Tessier, Jules, 1941-
    Américanité et francité : essais critiques sur les
littératures d'expression française en Amérique du Nord
(Roger-Bernard)
Comprend des références bibliographiques
ISBN 2-89531-012-2

    1. Littérature canadienne-française – XXᵉ siècle – Histoire
et critique. 2. Littérature américaine (française) – Histoire
et critique. I. Titre. II. Collection
PQ3897.T472 2001   840.9'97   C2001-901658-1

Correspondance :
Département des lettres françaises, Université d'Ottawa
60, rue Université, Ottawa, Ontario K1N 6N5
Tél. (819) 243-1253 - Téléc. (819) 243-6201
lenordir@sympatico.ca

Mise en page : Robert Yergeau
Correction des épreuves : Jacques Côté

Le Nordir est subventionné par le Conseil des Arts du Canada,
par le Conseil des arts de l'Ontario et par Ottawa. En outre, Le Nordir
reconnaît l'aide financière du gouvernement du Canada par l'entremise
du Programme d'aide au développement de l'industrie de l'édition (PADIÉ)
pour ses activités d'édition.

Dépôt légal : troisième trimestre 2001
© Jules Tessier et Le Nordir, 2001
ISBN 2-89531-012-2

Canadä

Ottawa

LE CONSEIL DES ARTS   THE CANADA COUNCIL
DU CANADA   FOR THE ARTS
DEPUIS 1957   SINCE 1957

ONTARIO ARTS COUNCIL
CONSEIL DES ARTS DE L'ONTARIO

PRÉSENTATION

Heureuse coïncidence, quand le directeur général du Nordir, Robert Yergeau, m'a aimablement offert de rassembler en un volume des articles publiés dans différents périodiques, la revue *Francophonies d'Amérique* dont je venais d'abandonner la direction, assumée depuis sa fondation même, venait de franchir le cap des dix ans d'existence avec la publication du numéro 10 en mars 2000. Considérant la chose comme un cadeau d'anniversaire, d'instinct, j'ai fait le tour des thèmes que j'avais abordés dans la présentation de certains numéros, et un compte rendu de cet exercice m'a semblé plus profitable et éclairant qu'un texte de présentation classique, ennuyeux à faire et trop souvent boudé par les lecteurs.

Ce retour en arrière m'a permis de constater l'évolution qui s'est produite au cours de cette décennie, en comparant, par exemple, la présentation des deux premiers numéros, où il fallait définir de façon nette le créneau unique qu'entendait occuper la revue dans la panoplie des périodiques dits «savants», et le texte de l'allocution prononcée lors de l'ouverture du colloque «Francophonies d'Amérique : altérité et métissage», texte reproduit au tout début du numéro 10.

Le texte de présentation du numéro 1 s'intitulait «Un lieu de rencontre pour les universitaires du continent» (1991, p. 1-6). Après avoir mis en relief la nécessité de se doter d'un périodique qui fasse ressortir la pluralité et la diversité des manifestations de la vie française partout sur le continent nord-américain, j'évoquais l'à-propos d'une redéfinition des relations entre les isolats francophones et le Québec :

> Cette publication, tout en permettant aux «minorités» d'avoir une image plus juste d'elles-mêmes, s'inscrit également dans une démarche visant à favoriser un véritable dialogue avec le Québec, fondé sur un authentique partenariat plutôt que sur une filiation oblique, source des lamentations du type «ne nous abandonnez pas!» [...] En d'autres termes, il convient de repenser les relations entre les francophones de la diaspora et le Québec sur la base d'une... association. Les Québécois seront certes les derniers à refuser ce genre de rapport sous prétexte que les populations concernées sont disproportion-nées en nombre [...]. (p. 2)

Comme il est de mauvaise guerre d'étirer indûment une présentation, j'ai continué à développer l'orientation que nous entendions donner à la revue dans le numéro 2, avec un texte intitulé «Une opération de maillage pour renforcer les liens entre les isolats de langue française» (1992, p. 1-4). Bien plus qu'une opération tactique visant à serrer les rangs pour résister à l'acculturation, il s'agissait avant tout de prendre conscience d'une production culturelle dispersée sur un continent, mais ayant plusieurs traits en commun. Pour y arriver, il fallait aller voir ce qui se passait un peu partout, et avec cet objectif en tête nous avons systématiquement fait recenser les nouveaux titres ailleurs que dans leur région d'origine, sauf pour certains genres comme les monographies historiques, de manière à exporter la production locale et à lui faire prendre le large :

> Ce faisant, nous avons voulu réaliser concrètement le genre de maillage évoqué plus haut, afin que les publications de chaque région accèdent plus sûrement à une reconnaissance continentale, opération dans laquelle tous trouvent leur profit : les éditeurs en élargissant leur marché, les écrivains, leur audience, et les critiques, leurs horizons. (p. 4)

Cette politique du chassé-croisé des recensions a été appliquée systématiquement dans tous les numéros.

Pour le numéro 6, je ne pouvais laisser sans réponse un énième pseudo-diagnostic de mort imminente dont les «minorités» sont périodiquement l'objet, en somme un obituaire avant le décès publié au mois de décembre 1995 dans un grand quotidien québécois. Le titre qui coiffait le texte, «Il n'y aura plus de Jeanne Sauvé et de Gabrielle Roy» (1996, p. 1-5), était celui-là même qu'avait utilisé l'éditorialiste pour déplorer l'anémie culturelle qui affecterait toute la francophonie hors Québec, à l'exception de l'Acadie.

Cette façon de présenter la problématique de l'assimilation, dont on ne peut nier les méfaits, laisse cependant entendre que l'érosion des effectifs se doublerait d'une déperdition de vitalité, d'une espèce d'anémie linguistique et culturelle en perpétuelle progression, qui ferait de nos contemporains franco-canadiens vivant à l'ouest du Québec des gens de qualité moindre que leurs prédécesseurs. (p. 1)

Une analyse aussi réductrice que les futurologies de thanatologues. Pour la réfuter, il suffisait d'attirer l'attention du journaliste sur l'impressionnante liste des titres publiés en français à l'extérieur du Québec en l'espace d'un an, liste reproduite dans chaque livraison de *Francophonies d'Amérique*, pour ensuite détailler le contenu du numéro 6 de la revue, tout aussi riche que les précédents, et dont je me suis fait un devoir d'expédier un exemplaire à l'éditorialiste en question, sans obtenir de réponse.

Le texte du numéro 8, un prolongement du numéro 2, s'intitulait «Se comparer pour se désenclaver» (1998, p. 1-4).

Nous nous connaissons de mieux en mieux et les traits distinctifs des communautés francophones du continent nous sont devenus plus familiers, notre revue ayant joué un modeste rôle dans cet apprivoisement mutuel, nous osons le croire. Aussi avons-nous pensé que le moment était venu d'imposer à nos collaborateurs une approche comparatiste [...]. (p. 1)

Chaque article devait porter sur au moins deux régions de la francophonie nord-américaine. Même l'aspect visuel de la revue s'en trouva modifié, et l'espace dévolu jusque-là à chaque région fut décloisonné. Le «Portrait d'auteur» fut lui aussi adapté et consista en une correspondance échangée au cours de l'année précédente entre Andrée Lacelle de l'Ontario et Herménégilde Chiasson de l'Acadie, en fait une longue réflexion sur le statut et le rôle de l'écrivain de langue française en milieu minoritaire.

Enfin, pour le numéro 10, après avoir fait connaissance entre nous et nous être bien analysés, nous avons fait pivoter l'objectif de la caméra pour aller jeter un coup d'œil sur les autres qui nous entourent, les francophones de diverses origines, et, bien évidemment, les anglophones, dans une démarche que j'ai décrite dans le laïus de présentation du colloque «Francophonies d'Amérique : altérité et métissage» (2000, p. 1-4).

À la condition de changer l'optique et de mettre de côté, pour un temps, la perspective manichéenne, de manière à percevoir l'Autre dans une dialectique non pas de confrontation mais d'interaction, le paysage change du tout au tout. Pour lors, il ne s'agit pas de jouer à l'autruche et de fermer les yeux sur les transferts linguistiques, particulièrement nombreux dans les régions périphériques, une tendance lourde qu'on n'a jamais réussi à enrayer. Il ne s'agit pas non plus de faire contre mauvaise fortune bon cœur, mais bien plutôt d'analyser sans parti pris, lucidement, cet environnement humain autre qui nous a non seulement influencés, mais que nous avons encore intégré à des degrés divers. Je pense, bien sûr, à l'Autre anglophone, américain et canadien, mais aussi à l'Autre francophone ou francophonisé, issu d'une autre culture, d'un autre pays, d'une autre région. L'Autre, donc, qui devient un incontournable quand vient le moment de définir la spécificité des Francophonies d'Amérique du Nord, cet incomparable terrain d'étude et d'analyse, comportant tous les degrés possibles de métissage. (p. 2)

Les articles reproduits dans les pages qui suivent sont marqués par la double optique qui a inspiré ces textes de présentation, et partant, l'orientation de la revue *Francophonies d'Amérique* au cours de ses dix ans d'existence, soit les particularités de la production littéraire d'expression française hors Québec, le principal vecteur de spécificité résultant de l'environnement Autre dans lequel elle s'accomplit.

J.T.

Plaidoyer pour une nouvelle critique
adaptée aux «petites» littératures

L'AMÉRIQUE FRANÇAISE est un laboratoire extraordinaire où l'on trouve tous les degrés de résistance et aussi d'intégration à la langue dominante. Le Québec offre un exemple tout à fait exceptionnel de vitalité culturelle, mais il existe également, à l'extérieur du Québec, des groupes plus ou moins homogènes de langues française qui s'expriment dans cette langue, à l'oral mais aussi par le texte. À l'autre extrémité de l'éventail, on repère des communautés à peu près disparues, dont l'existence nous est signalée par des toponymes, par des patronymes sur des pierres tombales, ou encore par un mince et combien fragile microfilm. En effet, on a retrouvé, à la bibliothèque de Topeka, la capitale du Kansas, cinq numéros microfilmés, sur une trentaine de publiés, au cours des neuf mois d'existence du journal *L'Estafette*, fondé par le Français Frank Barclay, en 1858, à Leavenworth, au Kansas, dans le Mid-West Américain. C'est à peu près le seul vestige qui subsiste de la présence française dans cette ville. Le français a subi le même sort dans les autres petites villes environnantes :

[À] Silkville, fondée en 1869 par Ernest Valeton de Boissière avec un groupe venu de France, on ne se souvient plus du français. À Damar, une autre petite ville du Kansas, fondée en 1878 par un groupe francophone de l'Illinois et originaire du Québec, on ne parle plus français[1].

Et entre ces deux pôles, l'Amérique du Nord nous offre tous les degrés imaginables de métissage, de mixité, d'intégration, d'assimilation.

Il va de soi qu'une telle situation engendre des variétés presque illimitées de modes d'expression à partir d'une langue plus ou moins marquée par son éloignement quatre fois séculaire de la métropole, par un environnement nouveau à identifier et à nommer, par l'omniprésence de l'autre langue étroitement en contact avec la nôtre, et, sans doute, dans un avenir rapproché, par le contact avec les langues parlées par les communautés culturelles qui viennent élire domicile chez nous, sans parler des moyens de communication électroniques qui ont accéléré de façon singulière l'avènement du «village global».

Dans un tel contexte, les situations originales, paradoxales, non conventionnelles sont monnaie courante et il faut, chaque fois, régler et adapter nos grilles d'analyse, en évitant d'appliquer tels quels, sans discernement, les modèles et stéréotypes issus des sociétés homogènes, des nations productrices des grandes littératures. Si on accepte de jouer le jeu, franchement, avec empathie, on assiste non seulement à des réajustements, à des correctifs, mais même à des renversements de valeurs. En effet, ce qui serait perçu comme une maldonne, comme une carence parce que mesuré à l'aune de la critique traditionnelle, devient un vecteur d'innovation et un authentique critère stylistique pour peu qu'on fasse l'effort de s'adapter à un contexte autre, où l'altérité, justement, quitte les marges et où la mixité, à l'occasion, infiltre le centre, le cœur de l'œuvre.

Commençons par le cas limite des acculturés qui s'expriment dans l'autre langue, un phénomène auquel nous nous heurtons périodiquement. Une première réaction, plutôt manichéenne, consiste à exclure ceux-là de notre champ de vision parce que leurs signaux ne sont plus décodables et que, par conséquent, ils n'apparaissent plus sur nos écrans de radar

de littéraires. Ce rejet est souvent même accompagné d'un obituaire truffé d'images dévalorisantes, qui vont du «dead duck» au «cadavre encore chaud», en passant par la folklorisation, par la louisianisation, etc.

C'est une façon simple, radicale, d'enfermer dans une espèce de sarcophage étanche un «problème» qui nous angoisse. Chaque fois qu'on a recours à cette manœuvre d'exclusion, les voix d'outre-tombe se font entendre et viennent hanter la bonne conscience de ces cliniciens au diagnostic définitif. Ainsi, lors de l'imposant Congrès mondial acadien tenu en 1994, l'avocat-professeur Michel Doucet a déclaré que «si l'Acadie renonçait à se dire d'expression française [...], elle commettrait un suicide collectif[2]», alors que Barry Jean Ancelet de l'Université du Sud-Ouest de la Louisiane a suggéré de «maintenir la communication avec les Acadiens et les Acadiennes assimilés[3]», une recommandation reprise sur le ton de la supplication par Wayne Thompson, un étudiant de l'Île-du-Prince-Édouard, qui a imploré son auditoire de ne pas «coup[er] les liens avec les Acadiens anglicisés[4]».

Disons d'abord ceci. Les littéraires, en l'absence de texte, sont particulièrement démunis. Dans ces cas limites d'acculturation, ils devraient admettre de bonne grâce qu'ils n'ont plus la donne indispensable pour fonctionner et, plutôt que d'exclure, ils devraient s'en remettre à d'autres disciplines qui fonctionnent avec des outils différents, telles la sociologie, l'ethnologie, l'anthropologie. Celles-ci analysent les attitudes, les comportements, les goûts et les tendances, avec le résultat que le substrat francophone ressort de leurs analyses d'une façon ou d'une autre.

Par ailleurs, même quand le texte est écrit dans une langue autre, les littéraires doivent s'y intéresser; soit que la fonction identitaire porte la marque des origines de l'écrivain, ou encore que la forme ait subi l'influence du substrat francophone, tel le cas de Jack Kerouac dont la production romanesque a été influencée par ses origines franco-américaines, tant sur le plan du fond que de la forme. À ce chapitre, qu'il suffise de mentionner les multiples insertions en «français canadien», signalées en ces termes, dans les versions françaises, par les soins des traducteurs[5].

Citons encore le cas de Marie Moser, de l'Ouest canadien, dont le roman *Patchwork*, une histoire familiale avec un fond de scène «franco», écrit en anglais, a été traduit et publié en français sous le titre *Courtepointe*[6]. Et il convient de saluer au passage Nancy Huston qui écrit en français, dans une langue seconde, par choix, puisqu'elle n'a pas perdu sa langue maternelle anglaise[7], sans oublier ses homologues ontariens, Robert Dickson et Margaret Michèle Cook.

De tels exemples de chassés-croisés linguistiques, dont on trouve d'ailleurs des équivalents dans les grandes littératures, font partie intégrante de notre univers socioculturel. Il faut se rendre à l'évidence que le concept des divisions linguistiques étanches est susceptible de nous enfermer dans des espaces clos, de nous aliéner des œuvres ressortissant au moins partiellement à notre corpus littéraire d'expression française nord-américain, et, surtout, de nous faire passer à côté d'un phénomène de créativité marqué par la vitalité, par l'innovation.

En effet, le contexte particulier où s'élaborent ces littératures émergentes permet aux auteurs de puiser à même des ressources culturelles autres pour créer de nouvelles esthétiques[8]. Puisqu'il faut nous restreindre, je me limiterai à deux aspects formels caractéristiques des littératures d'expression française de l'Amérique du Nord, soit l'oralité et le contexte de bilinguisme où elles s'élaborent.

Les littératures d'expression française hors Québec sont fortement marquées par l'oralité, particulièrement en Acadie et en Louisiane, mais aussi en Ontario et dans l'Ouest canadien. Je faisais allusion plus haut à ces renversements de valeurs qui surviennent lorsqu'on cesse d'évaluer les «petites littératures» avec un regard oblique dirigé vers les grandes littératures. L'oralité constitue, justement, un aspect particulièrement révélateur de ce phénomène.

François Paré a écrit, dans *Les Littératures de l'exiguïté*, que «les *petites* littératures optent pour l'oralité par dépit ou par mimétisme[9]», en somme la conséquence d'une espèce d'indigence culturelle. Il est téméraire de s'inscrire en faux contre un auteur qui a analysé la morphologie des «petites littératures» avec tant de pertinence et de profondeur. Je dirai cependant ceci : les petites littératures n'«optent» pas pour l'oralité, c'est pour elles une manière d'être. Nous sommes en présence d'une marque distinctive, originale, ontologique, dans le droit fil d'une tradition qui remonte... à *L'Iliade* et à *L'Odyssée*! Cette poésie qui parle, ironise, rigole, pour le plus grand plaisir des lecteurs qui ont laissé leurs catégories au vestiaire, me semble tout aussi valable que la «grande poésie», surtout la moderne, souvent caractérisée par une obsession formelle ou par une hantise de la nouveauté qui la fait basculer dans l'incohérence et le délire verbal, avec des mots lâchés «lousses» dans des aires sémantiques ouvertes, affranchis du licou syntaxique.

Un autre phénomène particulièrement marquant et incontournable, c'est la dialectique langue dominante/langue dominée, qui sert de contexte à la production littéraire francophone nord-américaine. Pour bien évaluer l'impact de ce rapport de force sur la production littéraire, il faut se départir de préoccupations normatives et considérer cette problématique avec une grille d'analyse conçue en fonction de la créativité, des variantes stylistiques.

Simon Harel, dans son essai *Le Voleur de parcours*, en parlant du Québec, écrit ceci :

> La fondation du territoire, aménageant un espace approprié, habitable, suppose toujours la mise en œuvre d'un certain nombre de tensions discriminatoires créatrices de limites[10].

Plus tôt, Harel avait mis en contraste la «crispation associée au primat du texte national» et «l'ouverture à l'extra-
territorialité», une condition pour aboutir à une «rencontre
interculturelle[11]».

Autre paradoxe propre aux «petites littératures», la
«déterritorialisation» de la langue, pour reprendre le mot
célèbre de Gilles Deleuze[12], a au moins un effet bénéfique,
celui de décrisper ses locuteurs, ces derniers n'ayant aucune
ambition d'occuper, de défendre un espace géolittéraire. Et
cette décrispation affecte non seulement l'écrivain, mais aussi
le lecteur. Betty Bednarski, auteur d'*Autour de Ferron.
Littérature, traduction, altérité,* décrit en ces termes la réaction
négative que peuvent susciter les termes anglais auprès des
lecteurs québécois :

> Je suis consciente des connotations négatives que peut avoir
> le mot anglais en (con)texte québécois. Je sais que sa présence
> rappelle automatiquement une agression, le niveau de
> résistance très bas d'une langue à l'autre[13].

En Acadie, en Ontario, dans l'Ouest canadien, aux
États-Unis, on n'est pas en mesure de maintenir une telle
tension et on ne sent pas le besoin d'«entreguillemetter» ou
d'«enquébecquoiser» les vocables anglais, à la Jacques Ferron[14],
puisque l'altérité peut y jouer un rôle dynamique plutôt que
dissociatif. Chez les Patrice Desbiens et Jean Marc Dalpé de
l'Ontario, les Raymond LeBlanc et Guy Arsenault de l'Acadie,
les Charles Leblanc et Louise Fiset de l'Ouest[15], l'anglais
s'insère dans la trame même de certains de leurs textes, s'y
intègre, non pas à la façon d'éléments exogènes destinés à faire
couleur locale, à situer le dialogue à un niveau de langue
populaire, mais bien comme un outil d'écriture à part entière,
avec ses redécoupages sémantiques, son réseau connotatif
propre, et une palette sonore autre, permettant les combinaisons les plus audacieuses avec la langue d'accueil, le français.

Sherry Simon voit dans le bilinguisme littéraire «une source d'innovations et d'interférences créatrices[16]». Ailleurs, en s'inspirant de Régine Robin, elle voit dans « l'étrangeté de la langue» un moyen de déconstruire le figé, la langue étrangère, dans un contexte de «mixité», favorisant l'innovation textuelle[17].

Venons-en maintenant à la façon dont la critique se réalise en milieu minoritaire. L'enseignement et la critique sont aux petites littératures ce que le «labourage» et le «pastourage» de Sully étaient à la France du XVIe siècle : les deux mamelles auxquelles s'alimente et se fortifie la production littéraire. Il faut bien admettre que dans certains cas, les deux font défaut, et c'est tout juste si on peut offrir comme substitut un biberon rempli d'eau sucrée.

Nous n'aborderons pas ici le volet enseignement. Nous nous contenterons de signaler que l'Université d'Ottawa a été l'une des premières, en 1984, à instituer le cours «Autres expressions littéraires en Amérique du Nord», consacré aux littératures de l'Acadie, de l'Ouest canadien et des États-Unis, en plus, bien sûr, de nos nombreux cours sur les littératures québécoise et franco-ontarienne.

Quant à la critique, elle se fait dans des conditions particulières. Étant donné l'exiguïté de nos espaces littéraires, non seulement les deux camps, celui des écrivains et celui des analystes-observateurs, sont-ils à portée de voix l'un de l'autre, si bien qu'on se reconnaît au premier coup d'œil, mais encore sont-ils constitués partiellement par les mêmes effectifs, les littéraires s'instituant critiques, les enseignants ne dédaignant pas de coiffer les deux chapeaux, alternativement, encore que le phénomène ne soit pas exclusif à notre Landerneau littéraire.

S'il est un cas limite d'exiguïté, pour ne pas dire de promiscuité, c'est bien celui de la Louisiane française. En effet, grâce à la conjoncture favorable occasionnée par la création du CODOFIL (Conseil pour le développement du

français en Louisiane) en 1968 et à la suite d'un choc inspirateur vécu dix ans plus tard lors d'une rencontre d'écrivains
tenue dans la ville de Québec, la délégation cadienne, présente
à ces assises, retourna en Louisiane plus convaincue que
jamais de l'urgence de littérariser une tradition orale demeurée prodigieusement vivante jusque-là, mais néanmoins
fragile. Ils se sont donc attelés à la tâche et ont publié *Cris sur
le bayou* (Intermède, 1980), puis *Acadie tropicale* (Université
du Sud-Ouest de la Louisiane, 1983), en ayant recours à
l'artifice des pseudonymes pour dissocier leur rôle d'écrivain
de celui de professeur-critique, et aussi, sans doute, pour
donner l'impression que le fort était bien gardé, à la façon de
Madeleine de Verchères aux multiples chapeaux derrière les
palissades du domaine familial assiégé. Et cette poésie continue de nous parvenir via la valeureuse petite revue *Feux
Follets*, publiée une fois l'an à l'Université du Sud-Ouest,
depuis 1991.

Une telle situation de «Family Compact» engendre,
selon certains, une attitude condescendante, hyper-élogieuse,
productrice de panégyriques, de congratulations réciproques.
Critique incestueuse, dira-t-on, tellement il y a collusion entre
les producteurs et les évaluateurs, au point que les uns et les
autres se confondent parfois.

Autre paradoxe propre à notre univers linguistique et
culturel : il y a un avantage certain à confier l'évaluation d'un
texte à un écrivain qui a à son actif une production littéraire
de qualité, qui a expérimenté dans tout son être et à maintes
reprises les affres de la création. Ainsi, l'évaluation acquiert
une crédibilité accrue, à la condition de prendre en compte le
non-dit qui revêt une importance particulière dans une telle
situation. Par exemple, quand je parcours un récent numéro
de la revue *Envol* et que j'y repère la recension d'un recueil de
poésie de Christine Dumitriu van Saanen par l'écrivaine
Andrée Lacelle, je sais d'avance qu'il ne s'y trouvera pas
d'attaque ou de critique acerbe, mais, qu'en revanche, je

pourrai parcourir un texte intelligent, empathique, susceptible de m'ouvrir les yeux sur les arcanes et l'alchimie de la création littéraire[18].

Non pas qu'il faille se montrer complaisant et fermer les yeux sur la médiocrité des œuvres à critiquer. Mais il y a un écueil plus redoutable encore à éviter : celui d'utiliser la grille d'analyse réservée aux grandes littératures, de l'appliquer sans discernement aux petites, et de voir des défauts ou des faiblesses là où il y a des caractéristiques et des traits uniques et originaux.

En conclusion, je me fais un devoir et un plaisir de céder la parole à Laure Hesbois, une professeure éminente qui a contribué à assurer le renom de l'Université Laurentienne. Pour Laure Hesbois, une littérature minoritaire ne peut être jugée selon les «postulats habituels de la critique» et la littérature franco-ontarienne ne peut être jugée «selon les critères d'une littérature consacrée[19]».

Tout ce qui précède ne visait qu'à développer et à illustrer ce point de vue.

Notes

1 Bryant C. Freeman, «Les communautés francophones au cœur du Mid-West : histoire et écriture», dans *Les Autres Littératures d'expression française en Amérique du Nord*, s. la dir. de Jules Tessier et Pierre-Louis Vaillancourt, Ottawa, PUO, 1987, p. 130 et 133.

2 *Le Congrès mondial acadien. L'Acadie en 2004*, Moncton, Les Éditions d'Acadie, 1996, p. 621.

3 *Ibid.*, p. 89.

4 *Ibid.*, p. 93.

5 L'arrière-plan francophone apparaît notamment dans les titres où Jack Kerouac raconte son enfance et son adolescence à Lowell, énumérés dans l'ordre chronologique correspondant à la vie réelle de l'auteur : *Vision de Gérard*, Paris, Gallimard (1963), 1972; *Docteur Sax*, Paris, Gallimard (1959), 1962; *Maggie Cassidy* (1959); *The Town and the City* (1950); *Vanity of Duluoz* (1968).

6 Marie Moser, *Courtepointe*, Montréal, Québec/Amérique, 1991.

7 À propos du phénomène Nancy Huston, on lira avec grand profit l'article de Claudine Potvin : «Inventer l'histoire : la plaine revisited», dans *Francophonies d'Amérique*, n° 7, 1997, p. 9-18.

8 Voir *Littératures émergentes*, Jean-Marie Grassin éd., Peter Lang, 1996.

9 François Paré, *Les Littératures de l'exiguïté*, Ottawa, Le Nordir, 1992, p. 25.

10 Simon Harel, *Le Voleur de parcours*, Longueuil, Le Préambule, 1989, p. 114.

11 *Ibid.*, p. 88.

12 Gilles Deleuze et Félix Guattari, *Kafka, pour une littérature mineure*, Paris, les Éditions de Minuit (1975) 1989, p. 29-50.

13 Betty Bednarski, *Autour de Ferron. Littérature, traduction, altérité*, Toronto, Éditions du GREF, 1989, p. 43.

14 *Ibid.*, p. 42-43. La traductrice de l'œuvre de Jacques Ferron commente longuement la façon dont l'auteur intègre les anglicismes à la graphie du français, en soulignant que le procédé a pour effet d'assurer la maîtrise de l'écrivain francophone sur ces emprunts.

15 Voir à ce sujet les deux articles qui suivent, reproduits dans cet ouvrage.

16 Sherry Simon, «*Entre* les langues : *Between* de Christine Brooke-Rose», dans *TTR, Le Festin de Babel/Babel's Feast*, vol. IX, n° 1, 1996, p. 56.

17 Sherry Simon, *Le Trafic des langues*, Montréal, Boréal, 1994, p. 20.

18 Andrée Lacelle, «*Sablier*, Christine Dumitriu Van Saanen, Saint-Boniface, les Éditions des Plaines, 1996, 68 p.», dans *Envol*, vol. V, n°s 1-2, 1997, p. 98-100.

19 Laure Hesbois, «Vous avez-dit "critique"?», dans *Atmosphères*, n° 3, 1988, p. 26.

Quand la déterritorialisation «déschizophrénise» ou De l'inclusion de l'anglais dans la littérature d'expression française hors Québec

> Vous dites que vous êtes «quelque chose entre les deux»... Eh bien, je ne suis pas du tout de votre avis. Je trouve que vous êtes quelque chose de neuf, quelque chose qui commence. Vous êtes quelque chose qui ne s'est pas encore vu.
>
> Jacques Poulin, *Volkswagen Blues*[1]

LES LITTÉRATURES EXCENTRIQUES, issues des empires coloniaux, traversent tôt ou tard une période de réévaluation, de redéfinition par rapport à la production métropolitaine. Une fois dépassée la période incontournable du mimétisme, sans pour autant que le phénomène ne disparaisse complètement, s'amorce alors la démarche autoréférentielle favorisée par des publications de plus en plus nombreuses et par une institution littéraire qui opère un certain tamisage en retenant les titres qui feront l'objet d'une critique, puis d'une étude plus approfondie à la suite de leur inclusion dans les programmes d'études.

Depuis l'incipit même de la littérature d'expression française sur le continent nord-américain, les relations par rapport à la norme métropolitaine se sont cristallisées autour de la question linguistique, une problématique exprimée avec un certain dépit par Octave Crémazie dans sa fameuse lettre adressée à l'abbé Casgrain, en 1867, où il déplore que le Canada n'ait pas une langue qui lui soit propre de manière à se démarquer et à se distinguer de la prestigieuse littérature française : «Ce qui manque au Canada, c'est d'avoir une langue à lui[2].» La même doléance fut reprise sur un ton défaitiste au tournant du siècle par Jules Fournier, qui alla jusqu'à mettre en doute l'existence même de la littérature canadienne-française en mettant en cause non seulement la pauvreté stylistique des œuvres publiées, mais aussi certaines carences langagières de même qu'une prétendue indigence sur le plan de l'inspiration, occasionnées par l'omniprésence de l'autre langue qui corrompt à la fois le verbe et l'esprit : «Non seulement l'expression anglaise nous envahit, mais aussi l'esprit anglais[3].»

Par la suite, ainsi que l'a montré avec pertinence Marie-Andrée Beaudet dans son ouvrage *Langue et littérature au Québec 1885-1914*[4], on assista à une bifurcation idéologique, l'École littéraire de Montréal et ses jeunes esthètes prônant une refrancisation de la langue idéalement alignée sur celle de Paris, alors que la Société du parler français de Québec, par la voix de Mgr Camille Roy notamment, promouvait un recours à la langue rurale vue comme un répertoire où il serait judicieux d'aller puiser des régionalismes de bon aloi afin de conférer à la langue d'ici une coloration originale.

On se trouvait donc en présence de deux modes principaux d'expression littéraire, soit le français normalisé qui, à la limite, se confond avec le français de la métropole, et le franco-canadien traditionnel associé au monde rural, dont allaient se servir les écrivains du terroir notamment pour donner une saveur régionaliste à leurs textes.

L'ANGLAIS : VOILÀ L'ENNEMI !

Quoique diamétralement opposées, les deux écoles de pensée avaient néanmoins un point en commun, ou plutôt un ennemi commun qui avait l'heur de provoquer une répulsion viscérale chez les uns comme chez les autres : la corruption du français nord-américain, particulièrement la langue littéraire, par l'anglicisme. L'idéologie linguistique prônée par la Société du parler français allait confiner à la schizophrénie ses porte-parole, ne cessant de marteler la distinction manichéenne entre le vieux fonds français infiniment «délitable» des parlers ruraux, et la langue des citadins, corrompue et avilie, on l'aura deviné, par... l'anglais[5]! «Voilà l'ennemi!» s'était écrié Jules-Paul Tardivel, en 1880, lorsqu'il pointa du doigt l'anglicisme[6]. Et l'anglicisme allait rester dans la mire des écrivains, qu'ils soient d'obédience urbaine parisianiste ou rurale régionaliste, et ce pendant la première moitié du XXe siècle. Rien d'étonnant à cela, puisque la littérature, jusqu'à la Révolution tranquille, ne pouvait se limiter à sa fonction première esthétique, et comme si son rôle subsidiaire de vecteur identitaire ne suffisait pas, elle devait encore exercer la tâche ancillaire de défenderesse de l'orthodoxie linguistique, une responsabilité enchâssée dans les statuts de l'École littéraire de Montréal par les soins de Jean Charbonneau:

> L'École littéraire a pour principale fonction de travailler avec tout le soin et toute la diligence possible à la conservation de la langue française, et au développement de notre littérature nationale[7].

La population en général n'éprouve pas la même allergie aux anglicismes et échappe, dans une large mesure, aux efforts normalisateurs déployés dès 1841 par l'abbé Maguire, avec son fameux recueil des *Locutions vicieuses*, puis par une impressionnante cohorte d'épigones, toujours dans le but premier et avoué d'épurer la langue, d'en extraire l'ivraie — l'anglicisme — du bon grain français[8]. Est-il nécessaire de rappeler que ces valeureux gardiens de l'orthodoxie linguistique ne pouvaient bénéficier, à l'époque, d'appuis logistiques telles la télévision et la presse à grand tirage, et que leurs publications n'atteignaient que la minorité privilégiée qui avait accès à une scolarisation prolongée au-delà du palier primaire?

Entre temps, l'urbanisation du Québec, amorcée au tournant du siècle, connaît une singulière accélération pendant la Seconde Guerre mondiale et a pour effet de désenclaver les francophones de leurs zones rurales protégées pour les faire entrer en contact direct avec cette langue qui, jusquelà, les avait affectés de façon détournée par le biais de traductions bâclées, ou via le «magasin général» qui offrait à sa clientèle des produits expédiés par le grossiste avec une appellation anglaise[9]. Désormais l'intermédiaire est supprimé et le Québécois francophone urbanisé d'avant la Loi 101 fait face quotidiennement à des compagnons de travail, à des contremaîtres d'usine, à des chefs de bureau qui ont en commun de ne parler que l'anglais, sans compter le nouvel environnement où l'autre langue s'entend et se voit partout. Le substrat franco-canadien rural de ces migrants, soumis à une influence constante et directe de l'anglais, au terme de sa mutation, deviendra le parler populaire urbain baptisé «joual» au début des années soixante.

Cette langue fit son entrée dans le monde littéraire grâce à Jacques Renaud et son roman *Le Cassé* (1964), dans la poésie avec Gérald Godin notamment et *Les Cantouques* (1967) et, bien sûr, au théâtre avec *Les Belles-sœurs* (1968) de Michel Tremblay. En toute justice, il faut cependant mentionner que ces écrivains dont on a loué les audaces langagières avaient eu des devanciers, tels Jean Narrache pour la poésie et Gratien Gélinas pour le théâtre. Bref, cette transgression des oukases multipliés par les promoteurs de la norme du français européen constitue un geste autonomiste qui s'inscrit dans l'évolution normale d'une littérature régionale aspirant à s'autoréférencier. Il ne faudrait cependant pas voir dans ce geste une quelconque réconciliation avec l'anglais, un ingrédient essentiel parmi les éléments constitutifs du «joual». C'est même tout le contraire qui va se produire puisque l'Anglais et l'anglais deviendront encore plus problématiques lorsqu'on troquera la littérature canadienne-française pour la québécoise.

DE CANADIEN FRANÇAIS À QUÉBÉCOIS : «*WHAT'S IN A NAME?*»

À la suite de la Révolution tranquille survenue pendant les années soixante, et de la prise de conscience qui s'ensuivit, on l'a répété ad nauseam, l'appellation canadienne-française a dû céder la place à l'étiquette «québécoise», sur le territoire du même nom. Ce changement constitue un épiphénomène révélateur d'un bouleversement fondamental dont on continue à évaluer l'impact, à analyser les tenants et aboutissants.

François Paré, dans son célèbre essai *Les Littératures de l'exiguïté*, à l'occasion d'un paragraphe particulièrement éclairant, tente une explication sur les motifs qui auraient poussé l'institution littéraire à accomplir cette manœuvre de repli :

> En voulant s'instituer comme une *grande* littérature [...], la littérature québécoise ne devait pas seulement se démarquer par rapport aux lettres françaises métropolitaines (ce dont on a beaucoup parlé), mais aussi se couper du discours troué, jugé désormais inopportun et trop étroit, d'un Canada français minoritaire[10].

Autrement dit, on s'est senti obligé de rogner le pourtour effiloché du tissu, cette périphérie tachetée qui donne une impression de pauvreté, d'indigence, pour ne conserver que la bonne toile solide, apte à vous mesurer aux autres littératures nationales. La langue commune qui servait d'agent unificateur à l'époque de la littérature canadienne-français sera remplacée par une appartenance territoriale. Désormais, on sera «québécois» ou «hors Québec». Logiquement, quoique avec un certain retard sur le changement d'appellation, on est passé du «nationalisme ethnique» au «nationalisme civique» à conno-

tations territoriales, le seul acceptable dans les discours offi-
ciels eux-mêmes soumis à l'autocensure prescrite par les
canons de la rectitude politique[11].

Ce redécoupage a non seulement eu pour conséquence
de faire des francophones hors Québec des «exclus», au sens
bien contemporain du terme, mais encore d'imposer aux
Québécois la tâche de l'appropriation territoriale avec toutes
les tensions et les stratégies qu'implique pareille entreprise en
l'absence d'homogénéité ethnique, un défi rendu encore plus
complexe eu égard à la force d'attraction bien relative du
français pour les non-francophones habitant le territoire, alors
qu'inversement, la «minorité», économiquement puissante,
avec des alliés politiques partout ailleurs au Canada, s'exprime
dans une langue au prestige mondialement reconnu. Tant que
le facteur distinctif était fondé sur l'ethnie et une langue
commune, l'Autre, bien qu'on sentît toujours sa présence,
pouvait encore être repoussé dans des zones périphériques, les
marges pour employer le mot à la mode. Dès que l'on décrète
que la nation et la littérature ont le territoire du Québec
comme assises, comme frontières délimitatives, l'altérité devient un problème auquel on ne peut échapper, et qui occu-
pera un espace central. Simon Harel a bien posé le problème
dans son plaidoyer pour l'ouverture du champ littéraire
québécois aux autres cultures, intitulé *Le Voleur de parcours*[12].

DE L'ANGLAIS À L'ANGLAIS

Tant que l'altérité se présente sous les dehors du cosmopo-
litisme généralisant, sa relation, son intégration à la littérature
québécoise, dans le respect de l'hétérotopie, bien que problématique, n'en demeure pas moins assez aisément réalisable.
Mais dès le moment où il est question de l'Autre, c'est-à-dire
de l'Anglo et de sa langue, la résistance est si forte que la
démarche confine à une aporie.

Dans son essai, Harel montre comment les romanciers
et surtout les essayistes associés au groupe Parti pris, pendant

les années soixante en tout cas, ont ferraillé pour la reconquête de l'espace urbain (montréalais) où la présence anglophone non seulement met en relief l'aliénation et le statut de dominé des francophones, mais encore, à long terme, leur apparaît comme une menace pour la survie même de leur langue dans cette conurbation où vit la moitié de la population du Québec.

C'est donc dans une perspective de décolonisation, de reprise en main du territoire, que l'anglophone sera présenté sous les traits d'un étranger dominateur. Agir autrement équivaudrait à renouer avec l'attitude bonne-ententiste qui fausse les réflexes de défense, un gauchissement lourd de conséquences, si l'on se fie à la mise en garde formulée par Paul Chamberland, un des ténors de l'idéologie propre au groupe Parti pris:

> En intériorisant les forces qui nous désintégraient — par lâcheté ou par impuissance — nous avons changé le ressentiment contre l'autre en culpabilité (haine de soi), transformé la révolte et le désir de liberté (instinct de vie) en soumission masochiste et en délire de persécution (instinct de mort)[13].

Jusque-là, la menace était circonscrite à la langue anglaise perçue comme un agent corrupteur du «bon français», mais sans vision nette du locuteur lui-même, de l'Anglais. Les tenants de l'orthodoxie linguistique avaient réussi ce tour de force, par une manœuvre d'esquive métonymique, d'attaquer la langue envahissante tout en laissant le locuteur dans une zone d'ombre. En présentant l'anglophone comme un étranger dominateur et aliénant, il va de soi que son idiome n'a pas gagné en popularité auprès des littéraires québécois. On voit dans cette langue un agent de corruption auquel il faut ajouter la dimension de domination, «l'anglais défini comme facteur corrosif, dominateur[14]», bref un idiome dont il faut se méfier, particulièrement quand il essaie de s'introduire dans la place, tapi à l'intérieur du cheval de Troie du bilinguisme[15].

LA DÉTERRITORIALISATION QUI LIBÈRE

Ailleurs dans son essai, Simon Harel met en contraste la «crispation associée au primat du texte national» et «l'ouverture à l'extra-territorialité», une condition préalable, semble-t-il, pour aboutir à une «rencontre interculturelle[16]». Autrement dit, la constitution de l'espace géolittéraire québécois amène une dialectique de confrontation, une «crispation» fort peu propice à des rapprochements transculturels, surtout si l'on songe à l'intégration de l'Autre dont la présence même est perçue comme une menace.

Dans cette perspective, on peut légitimement poursuivre le raisonnement et se demander si, *a contrario*, le fait de ne pas avoir de territoire à occuper, à défendre, ne constitue pas une forme de libération. Or les francophones hors Québec, laissés pour compte d'une certaine façon à la suite du largage dont ils ont été implicitement l'objet lors du repli québécois, sont précisément des locuteurs dont la langue est «déterritorialisée», pour reprendre le mot désormais célèbre de Gilles Deleuze[17], à l'exception de certaines régions densément francophones de l'Acadie et d'une zone frontalière rurale en territoire ontarien correspondant aux comtés de Prescott et de Russell, et encore.

Il ne s'agit nullement, par anti-misérabilisme, de valoriser une situation pénible en soi. Tous sont unanimes à reconnaître le caractère de précarité, de fragilité qui affecte une langue privée d'assises géopolitiques. En revanche, ce statut de langue sans territoire bien délimité comporte un avantage, peut-être le seul, celui de pouvoir accepter, intégrer l'autre sans être taraudé par l'appréhension de pactiser avec l'ennemi, de l'avoir introduit dans la place à défendre. Dans ces conditions, la problématique du «fardeau du moi unique et seul[18]» devient obsolète et les conditions idéales sont réunies pour maximiser les bienfaits de l'exotopie ou de l'hétérotopie, un apport extérieur nécessaire pour arriver à une juste évaluation de soi.

Quand on est «minoritaire», les rapports de force, sans être abolis, sont radicalement modifiés. Les francophones hors Québec doivent partager le territoire avec l'Autre et, inévitablement, l'autre langue leur est devenue familière. Par un juste retour des choses, ceux-là à qui on n'a pas laissé le choix d'apprendre ou non la langue de la majorité se sont retrouvés détenteurs de deux codes et, par conséquent, n'ont pas à exorciser le vieux démon du bilinguisme, apprivoisé depuis longtemps, devenu performant même.

Puisque toute ambition sur le plan géolinguistique leur est virtuellement interdite, les écrivains francophones hors Québec, dans leurs œuvres, peuvent donc faire la navette entre les deux langues sans ressentir de culpabilité à outrance. Notre propos ne vise nullement à revaloriser de vieux aphorismes du genre «une personne bilingue en vaut deux», mais bien de faire voir que la déterritorialisation du français amène une décrispation vis-à-vis de l'anglais et «déschizophrénise» les écrivains dont certains feront cohabiter les deux langues dans leurs œuvres, reflétant ainsi une réalité sociolinguistique incontournable. Bref, ceux-là ont à leur disposition une quatrième option linguistique, l'anglais, qu'ils utilisent d'une façon naturelle, souvent originale, inédite.

L'ANGLAIS DANS LA POÉSIE DE PATRICE DESBIENS (ONTARIO), DE GUY ARSENAULT (ACADIE) ET DE CHARLES LEBLANC (OUEST)

Voyons comment trois poètes de langue française, ces «garants de la marginalité» pour reprendre la formule de François Paré[19], en situation d'isolat, intègrent l'anglais à leurs textes en insérant cette langue autre dans la trame même de leur poésie. Il s'agit de Patrice Desbiens de l'Ontario, de Guy Arsenault de l'Acadie et de Charles Leblanc du Manitoba, tous de la même génération, dans la quarantaine, avec un écart de quatre ans seulement entre le plus jeune et le plus âgé[20]. La perspective adoptée est synchronique et ne vise nullement à montrer l'évolution de la poésie dans ces trois régions du pays, mais bien plutôt à mettre en relief une tendance, dont il reste encore à mesurer l'ampleur, mais qui se manifeste avec une singulière symétrie dans les milieux littéraires francophones à l'extérieur du Québec.

Dans un premier temps, avec une approche socio-linguistique, nous montrerons comment ces écrivains, dans la mesure où ils s'inspirent de leur milieu, ne peuvent que refléter, dans leurs œuvres, le caractère majoritairement anglophone de la société où ils évoluent. Dans la seconde partie, nous verrons comment se matérialise l'insertion de l'anglais dans leurs textes.

UNE LITTÉRATURE-MIROIR

William Francis Mackay, dans un article sur la diglossie littéraire, fournit un exemple de procédé utilisé par les écrivains canadiens-français pour traduire l'omniprésence de la culture américaine sur tout le continent, y compris au Québec, et le moyen plutôt simple consiste à parsemer «le texte français de noms de marques et de compagnies anglo-américaines, tels que *Vanish Spray, Gordon's Gin, Canadian Club, General Motors, Imperial Tobacco, Imperial Oil*[21]». Or on remarque, à une exception près, que Patrice Desbiens truffe littéralement ses poèmes de marques de commerce anglo-américaines :

> Mon amour Econoline (CDLV, p. 13)
> sa Trans-Am musclée (SUDB, p. 9)
> un Winnebago gros comme un paquebot (POAN, p. 52)
> Ce n'était pas du Heinz (CDLV, p. 17)
> le paquet de DuMaurier (CDLV, p. 19)
> un paquet de Player's Light (régulier) (SUDB, p. 18)
> Est-ce que Raoul Duguay fume encore des Craven-A? (POAN, p. 32)
> Je bois un Ballantine (SUDB, p. 55)
> un autre Johnnie Walker (POAN, p. 36)
> Un couteau de K-Tel (POAN, p. 34)

Une exception notable dans cette curieuse litanie, soit une marque de cidre de chez nous accompagnée de cretons :

J'irai au dépanneur
me chercher une bière
ou
une bouteille de vin
ou
des cretons
et
une bouteille de
St-Antoine Abbé. (POAN, p. 12)

Guy Arsenault de l'Acadie a recours au même procédé, sauf que les cretons sont remplacés par la poutine râpée, que le ketchup Heinz retrouve son label authentique de «Heinz Ketchup», le tout intercalé dans une suite de raisons sociales conformes à la morphosyntaxe de l'anglais, avec le «'s», et un refrain à facture acadienne, «yousské tou'l monde», dans un poème dont le titre est, lui aussi, influencé par la syntaxe de l'anglais, «Acadie experience» :

Pot en pot
pet de sœur
poutine râpée [...]
yousské tou'l monde
Gallant's Confectionary
Vanier High School
Marven's
Ed's Corner
Heinz Ketchup
Leblanc's Service Station
Boudreau's Variety
Yousské tout le monde (ACRO, p. 22)

On trouve une énumération comparable chez Charles Leblanc, mais cette fois la liste provient de Barton, au

Vermont, à l'occasion d'un défilé du 4 juillet. Quoi qu'il en soit, on ressent la même impression d'aliénation linguistique, en Nouvelle-Angleterre comme en Acadie, à voir ces patronymes bien français servir de déterminants à des termes génériques anglais :

> un char allégorique from the town of Glover ...
> Taylor Automotive, Leclair Construction, une série
> de pick-up chromés, Sicard Excavation [...] (PRDP, p. 39)

Simon Harel, dans *Le Voleur de parcours*, souligne que, dans un roman, particulièrement en milieu urbain, la toponymie «met en place une référence désignative, réaliste qui découpe des univers revendiqués comme distincts[22]». Or ce moyen de provoquer le dépaysement et faire sentir le territoire de l'Autre, Charles Leblanc y a recours dans des récits de voyages qui se prêtent bien à ce genre d'énumération de noms de lieu, par exemple ce long périple qui mène l'auteur de «Kingston l'hostie» jusqu'à l'«Okanagan Sausage Drive-in» (PRDP, p. 9-13) :

> Sudbury desolation (p. 10)
> the country feeling de Lethbridge (p. 11)
> grisâtre comme le ciel du matin à Calgary USA (p. 11)
> le sunrise au-dessus de Moose Jaw (p. 11)
> ce radiateur de Medecine Hat qui se lamente
> au Cecil Hotel en vieux robineux qu'il est (p. 11)

On trouve également des énumérations de toponymes chez Patrice Desbiens, avec une notable exception constituée de noms de lieux évocateurs de la francophonie nord-américaine :

> Sudbury est loin comme
> l'horizon comme
> la mer comme

New York comme
l'Acadie et la Louisiane et
Timmins et
je n'ai jamais vu
Saint-Boniface. (POAN, p. 30-31)

Outre les toponymes, marques de commerce et raisons sociales à consonance anglaise, les poèmes de Leblanc et de Desbiens comportent de nombreux référents à la culture anglo-canado-américaine, dans les domaines de la musique, du cinéma et de la littérature. Ces patronymes et titres d'œuvres renforcent le ton de «nord-américanité», d'«anglicité» qui se dégage de leurs textes. Voici quelques-uns de ces noms propres glanés dans *Préviouzes du printemps* et dans *D'amours et d'eaux troubles* de Charles Leblanc : Mack Sennett, Buffy Ste-Marie, M. Atwood, Bread and Puppet Theater, Fred Astaire, John Lennon, Jimi Hendrix, etc. Le monde francophone n'est pas exclu pour autant : on trouve également, dans ces deux recueils, des noms d'auteurs français comme Francis Ponge, ou québécois, comme Émile Nelligan et même... Jeannette Bertrand!

On ne peut omettre de parler de la problématique particulière à laquelle est confronté tout écrivain qui fait s'exprimer en style direct des personnages ou des protagonistes francophones nord-américains. Tous les dosages ont été mis à l'essai, de l'invraisemblable français pointu jusqu'au joual le plus épais en passant par une savante transposition où quelques éléments de phonétisme et de vocabulaire confèrent aux dialogues une certaine couleur locale, lesquels demeurent cependant français quant à l'essentiel.

S'il est «ridicule de faire parler des ouvriers de Saint-Henri comme s'ils appartenaient à la bourgeoisie parisienne[23]», le problème devient encore plus complexe lorsque l'action se situe en milieu minoritaire. Dans ces régions — le Québec fait de moins en moins exception —, le parler populaire est souvent ponctué d'expressions et même de phrases complètes en anglais, un anglais lui-même de facture populaire. Ainsi, au beau milieu d'une randonnée en voiture à Sudbury, un personnage, Robert, s'exclame : «I hate this fucking town!» (SUDB, p. 29)

W.F. Mackay attribue aux parlers populaires dans une situation de diglossie, des valeurs associées «à la virilité, à la force, à la nature saine, à l'expérience du contact direct avec le milieu et, parfois, aux plaisanteries lourdes[24]». Or, fréquemment, dans les milieux francophones nord-américains, ces valeurs passent par un anglais de type «colloquial». Rien d'étonnant, donc, à ce que le «biker» Hughie Doucette, appartenant à un monde éminemment «macho», ne s'exprime même plus en franco-ontarien, mais en anglais populaire lorsqu'il parle de sa moto et de ses guitares au «Whistlestop, Sudbury's Home of the Blues» :

> All my guitars are made
> in the States.
> I'h never buy no fucking
> Jap copy...
> Yamaha... ha-ha-ha... (POAN, p. 20)

Il est même des situations où l'anglais devient pratiquement incontournable pour l'écrivain francophone en situation d'isolat et soucieux de rendre compte de son environnement sociolinguistique. Si on fait intervenir un personnage d'origine française mais complètement assimilé, l'auteur a-t-il d'autre choix que de recourir à l'anglais pour le style direct, surtout s'il fait avouer à ce personnage son statut d'acculturé, incapable qu'il est de dire un mot dans la langue perdue? Patrice Desbiens, au début de son recueil *Poèmes anglais*[25], a mis en exergue la phrase suivante :

> I am French, but
> I don't speak it...
> Do you want more

coffee?
Debbie Courville

À la fin du recueil, c'est sa nièce, Constance «Connie» Maltais, qui lui téléphone à deux heures du matin :

«Hey, I wanna buy your
books! How many you
got now?»
Je lui dis.
«That's a lot! I want'em
all!»
«O.K.»
«You only write in French, right?»
«Right...»
Elle me raconte toutes
sortes de choses et menace
de venir me visiter. [...]
«Anyway, send me your
books, I'll try to read
them... Maybe if I get real drunk
my French will come back...»
Elle raccroche.
Je débranche le téléphone. (POAN, p. 56-57)

Voici maintenant un autre texte de Patrice Desbiens où se trouvent réunis tous les éléments mentionnés jusqu'ici, soit les marques de commerce, les toponymes, les patronymes d'origine française couplés à un prénom anglais et une réplique servie en langue anglaise à la fin, sans parti pris idéologique, tout simplement parce que l'histoire se déroule à bord d'un train qui roule vers Sudbury et que le personnel itinérant ne comprend pas le français, une situation éminemment conforme à la réalité canadienne :

Le barman du train m'apporte
un autre Johnnie Walker

quelque part entre
North Bay et Sudbury. [...]

Quelque part
Debbie Courville
maquille ses poques
et se vide un autre verre
de Baby Duck.

Sturgeon Falls
et soudainement
c'est le Last Call
et le barman est hué
comme un arbitre
à une partie de baseball
et je commande
un dernier verre
de Johnnie Walker
et à travers un sourire
un peu trop sidéral
à son goût
je lui dis :
«I like trains
don't you?...» (POAN, p. 36-37)

Enfin, toujours au chapitre de la motivation psychologique, on peut faire intervenir un autre facteur pour expliquer le recours à l'anglais : celui de la... pudeur! En effet, et
c'est là un constat universel, on est habituellement «moins
gêné de dire certaines choses dans une langue seconde[26]». Il
est également permis de voir, dans cette utilisation particulière
de l'anglais, un indice tout au moins à l'effet que les écrivains
auxquels nous nous intéressons sont bien de langue maternelle
française, puisqu'ils ont préféré avoir recours à l'autre langue
pour certains passages plutôt osés. On relève des exemples de
ce phénomène dans le recueil de Patrice Desbiens intitulé
L'Homme invisible/The Invisible Man, une plaquette apparem-

ment «parfaitement bilingue», la page de droite, en anglais, portant même une pagination identique à celle de gauche, en français. Or le bilinguisme y est rarement symétrique; les divergences abondent entre les deux versions, surtout lorsqu'il s'agit d'énoncés, disons explicites, qui sont carrément gommés de la version française, comme ce détail : «with the other hand, he plays with himself» (HIIM, p. 15). Dans la même page, une réplique apparaît en anglais dans les deux versions, non seulement parce qu'elle est vulgaire mais aussi parce qu'elle correspond à un usage idiomatique répandu, à un certain niveau socioculturel : «I don't need this shit».

C'est peut-être aussi une certaine pudeur qui a poussé Charles Leblanc à donner un titre anglais à l'un de ses poèmes : «Mrs. Blood in the Women's Room» (PRDP, p. 51). Le même raisonnement s'applique à Guy Arsenault qui a coiffé un de ses textes d'un retentissant «Hard Fuck», mais qui nous met tout de suite sur la piste quant à sa source d'inspiration : «Hard Fuck written on a wall in a restroom» (ACRO, p. 65). D'ailleurs, l'anglais est la langue par excellence des graffitis, y compris dans les institutions francophones, surtout quand le message à transmettre est particulièrement graveleux. Charles Leblanc, lui aussi, indique ses sources et se garde bien de traduire le message en français, si tant est qu'il soit traduisible :

> «layoff = just another way of saying spread your legs and bend over»
>
> *Toilette d'usine* (AMET, p. 20)

LES GENRES DE MARIAGES ENTRE LE FRANÇAIS ET L'ANGLAIS

Voyons maintenant comment les trois auteurs retenus s'y prennent pour marier les deux langues, tout d'abord à l'intérieur des recueils, et par la suite dans le cadre plus restreint de certains de leurs poèmes.

Guy Arsenault et Charles Leblanc ont inclus dans leurs recueils des poèmes composés uniquement en anglais. Dans *Acadie Rock*, Arsenault les a groupés à la fin, en tout une dizaine de pages, soit le cinquième du recueil. Dans *Y'a toutes sortes de personnes*, les poèmes homogènes anglais sont éparpillés dans le livre et constituent au-delà du tiers du contenu. Leblanc n'a pas de poème exclusivement en anglais dans *Préviouzes du printemps*; dans *D'amours et d'eaux troubles*, quatre pages sur une soixantaine sont uniquement en anglais. Quant à Patrice Desbiens, il utilise la méthode plutôt originale du recueil apparemment rigoureusement bilingue dans *L'Homme invisible/The Invisible Man*, ainsi que nous venons de le voir. L'objet de notre étude n'inclut pas les textes homogènes anglais; contentons-nous de dire que l'anglais semble y être à peu près standard et que la réciproque, soit les insertions en français, y est virtuellement inexistante. Un procédé courant en littérature canadienne-française, utilisé autant pour les régionalismes que pour les anglicismes, consiste à donner l'équivalent en français standard sous forme de doublet. Guy Arsenault a recours à cette recette à l'occasion :

dictée - dictation (ACRO, p. 12)

avec ses périodes libres
ses «free periods» (ACRO, p. 15)

Contrairement aux romanciers du terroir qui fournissaient tout de suite l'équivalent à un régionalisme afin de dépanner un lecteur urbain, jeune, ou étranger, Arsenault se sert des doublets, non pas afin d'assurer la compréhension — on aura remarqué que l'ordre est inversé, et que le vocable anglais vient après le synonyme français — mais bien pour évoquer une réalité nommée aussi en anglais, avec un réseau connotatif distinct dans les deux langues.

Si certaines insertions sont minimales, en revanche d'autres sont beaucoup plus considérables et vont d'un vers complet à des strophes entières, avec des procédés d'ajointement multiples lorsqu'on passe d'une langue à l'autre.

Voici un exemple de vers anglais qui survient à la fin d'un poème jusque-là complètement en français, chez Charles Leblanc :

> on entend la sonnerie familière
> de la caisse enregistreuse
>
> money has no taste
> sauf qu'il veut m'avaler
> avec ses montagnes de blablabla (AMET, p. 43)

Dans cette citation, le changement de code n'interrompt nullement le développement de la pensée, les deux derniers vers se rattachant au vers en anglais dans une parfaite continuité logique. Le procédé est récurrent dans le poème intitulé «Collage pour John Lennon» :

> all we need
> tous ensemble
> c'est une vie meilleure
>
> happiness is a warm gun
> pointé dans la direction de nos ennemis (AMET, p. 67)

Ailleurs, Leblanc propose une strophe symétrique où alternent les vers en anglais et en français, en respectant toujours la continuité logique :

> look ahead for some kind of titanic to be drowned
> de l'autre côté du miroir
> through the looking glass lens
> moment d'intuition violent porteur d'action (PRDP, p. 21)

Tous les dosages et combinatoires sont permis. Ainsi, Guy Arsenault commence un poème sans titre avec dix vers consécutifs en anglais, puis il passe au français jusqu'à la fin pendant 15 autres vers, sauf un, hybride, mi-français, mi-anglais :

aller où nobody wants you. (YATO, p. 19)

Quelle que soit la proportion d'anglais utilisée, il faut souligner l'absence d'indicateurs métalinguistiques destinés à attirer l'attention du lecteur sur l'hétérogénéité de l'autre langue accueillie, en quelque sorte, par la langue dominante. En milieu minoritaire, l'écrivain a tellement l'habitude de ces chassés-croisés qu'il devient superflu d'isoler, dans le texte, l'autre idiome, en ayant recours, par exemple, à l'italique[27]. Le même conditionnement se trouve chez le public lecteur qui n'éprouvera pas d'agacement particulier, encore moins une impression de trahison, parce qu'on lui soumet un texte où les vocables anglais ont été complètement «naturalisés» par rapport à l'ensemble écrit en français[28].

Après avoir vu différents types de transfert du français à l'anglais et vice versa, on peut se demander quels stimuli agissent sur l'auteur pour provoquer de tels changements de code. Il se peut que l'écrivain transpose à l'écrit une façon de penser, de s'exprimer, courante chez les personnes vivant une situation de contacts interlinguistiques constants, qui consiste à faire la navette d'une langue à l'autre au cours de conversations spontanées. Il s'agirait donc de faits de discours plutôt que de faits de langue constitués d'emprunts sanctionnés par l'usage.

On peut aussi émettre l'hypothèse de l'embrayeur qui provoque un changement de langue vers l'anglais, mû par une expression, par une formulation courante dont les éléments sont unis par un tissu conjonctif syntagmatique, à la limite de l'ordre du slogan, telles ces trois lignes que Guy Arsenault intercale dans le poème intitulé «Nouvelle politique d'école» :

Fire Drill
Burn down
the schools (ACRO, p. 15)

D'ailleurs, depuis le début de cette analyse, nous avons vu d'autres cas d'expressions figées, habituellement de niveau populaire, reprises telles quelles par les écrivains francophones.

À un autre palier, les langues en contact permettent à l'écrivain différents transferts et effets stylistiques fondés sur la transcription phonétique. Le procédé le plus simple consiste à rendre la prononciation d'un mot en utilisant les valeurs phoniques de la langue d'accueil, un procédé auquel a largement eu recours Jacques Ferron, afin de procurer un «déguisement», de provoquer l'«enquébecquoisement» de ces emprunts devenus ainsi moins agressants pour les lecteurs québécois[29]. Chez les trois auteurs retenus, le procédé n'est pas courant, sans doute parce qu'il n'y a pas lieu d'appréhender la réaction négative de lecteurs habitués à prononcer l'anglais sans trace d'accent français ou peu s'en faut. Quoi qu'il en soit, Charles Leblanc a recours à cet artifice pour le titre de son recueil *Préviouzes du printemps*, en mettant un accent aigu sur le «e» en rendant le «ews» anglais par le groupe «ouz» français.

Ailleurs, dans un poème, Leblanc se sert subtilement de la paronymie pour passer du français canadien au français standard, puis à un anglais qui confine à la glossolalie, puisque le verbe «to jass» n'existe pas :

voudrais jaser avec toi
jaser
jazzer
to jass just
la ligne juste (AMET, p. 38)

En passant de l'adverbe «just» à l'épithète «juste», l'auteur a recours au procédé de la translittération, qui consiste à transférer les valeurs phonologiques d'une langue dans une autre, produisant ainsi des signifiants à peu près identiques, mais dont les signifiés divergent souvent radicalement l'un par rapport à l'autre, ce qui donne lieu à des jeux de mots plus ou moins réussis. Les auteurs retenus dans le cadre de cette étude se servent très peu de la translittération.

Un autre procédé, virtuellement inexistant chez eux, consiste à transcrire l'accent de ceux qui s'expriment dans une langue seconde en utilisant les valeurs phoniques de la langue mal maîtrisée. Parmi les auteurs canadiens, il faut signaler le cas de William Henry Drummond, qui a écrit tous ses poèmes dans un anglais qui tâche de refléter la prononciation des Québécois s'exprimant dans cette langue avec un fort accent français, le «th» devenant «de», le «g» final du groupe «ing» étant systématiquement supprimé, etc.[30] Il faut dire que le lecteur se lasse très vite de ce truc d'écriture destiné à conférer une certaine couleur locale à un texte. Sans doute que les auteurs francophones de la diaspora y ont peu recours parce que la plupart de leurs compatriotes, contrairement aux Québécois, parlent anglais virtuellement sans accent, mais il en va autrement pour cet immigrant âgé, d'origine européenne, la boîte à lunch à ses pieds, auteur d'un triste soliloque inspiré par la solitude et la bière, ayant pour théâtre un club «presque vide» de Sudbury, un lundi soir :

> «I'm from de old cuntree...» il crie
> «I'm from de Europe...»
> «I luff you,» il crie à personne en
> particulier. (SUDB, p. 59)

Nous venons de distinguer «fait de discours» et «fait de langue». Or, parmi les trois auteurs étudiés, l'un d'entre eux, Guy Arsenault, a à sa disposition la langue acadienne qui offre des ressources uniques. À un niveau populaire, l'anglais y a laissé son empreinte, normalisée en quelque sorte par l'usage. Ainsi, on relève chez cet auteur des emprunts à l'anglais transcrits tels quels, comme «tradesmen», «bootleggers»; ailleurs, les anglicismes sont intégrés à la morphologie du français, comme «bankennes de neige» et «patates bakées». Ces insertions en anglais figurent au milieu de vocables et de traits de prononciation propres au Canada français ou exclusifs à l'Acadie, comme dans ce vers :

yousské tou'l monde tchiss qué au bathroom

Dans ce poème intitulé «Acadie experience», d'où nous avons tiré les exemples qui précèdent (ACRO, p. 22-26), il ne faut pas s'étonner non plus de voir figurer, à côté des «patates bakées» et du «CNR balony», les «cosses de fayot», le «fricot au poulet» et les «poutines râpées», autant de mets typiques de l'Acadie, le tout entrelardé de ces vieux mots tirés du franco-canadien traditionnel, en fait autant d'archaïsmes et de dialectalismes, comme «escousse», «tanné», «asteur», ce dernier suivi de son équivalent anglais «right now». Cette ode au pays d'Acadie est entrecoupée de passages écrits dans un français parfaitement normalisé, telle la conclusion :

Et les nuages crèveront
et les nuages verseront
des petites gouttes de pluie ensoleillée
pour nous dire
que c'est le printemps
dans ce pays d'Acadie.

Voilà ce qui s'appelle tirer parti d'une situation de tétraglossie en mettant à profit le français normalisé, le franco-canadien traditionnel, l'anglais, et le parler populaire acadien qui intègre les trois premiers en y ajoutant des éléments du cru, comme certains traits de prononciation uniques et des vocables particuliers à l'Acadie.

Afin d'illustrer comment la langue acadienne constitue un outil littéraire «performant» pour qui sait s'en servir, voici

45

une comparaison entre deux textes qui mettent en scène des... téléviseurs, sauf que dans le premier cas, il s'agit de télévisions acadiennes, et dans le second, d'une télé franco-ontarienne. Dans le premier récit, Guy Arsenault se sert de toute la richesse de la palette linguistique acadienne dont les couleurs de base viennent d'être énumérées, et la maison où sont allumés simultanément les quatre appareils prend vie d'une façon saisissante, avec une présence comparable à celle des personnages sur une scène, au théâtre. L'utilisation d'une langue à caractère oral contribue à donner une impression de vécu au texte. De son côté, Patrice Desbiens reprend le même thème, avec un souci évident de rendre compte des détails sur le plan de la gestuelle, mais si on peut parfaitement visualiser la scène, elle nous apparaît sans relief, conforme à la réalité, mais plane, unidimensionnelle, comme au cinéma. Chez Desbiens, hormis un ou deux anglicismes, le texte est écrit en français normalisé. C'est ainsi qu'en Ontario, «l'homme est assis sur un divan» et le «volume [du téléviseur] est presque au maximum», alors qu'en Acadie, on est installé «su'le couch» et on voit «Pépère avec sa tv full bang» dans le poème intitulé «La maison qui pète», dont voici de larges extraits.

> la maison qui pète
> a quatre tv d'allumées en même temps
>
> Pépère avec sa tv
> full bang
> de onze heures le matin
> à onze heures le soir [...]
>
> la tv du salon
> allumée à la même station
> que celle à pépère
> pi mon père qui dort su'le couch
> la tv dont pi personne la watch

la tv à la cave
allumée à la même station
que celle à pépère
qui commence à dormir dans sa chaise
i' passe sur les bords
de onze heures
c'est la hockey game qui watch toute

pi moi
à un boute de la table de la cuisine
en train d'écrire ceci
pi Mame à l'autre boute
repasse les hardes
pour dimanche demain
«Je shake-tu la table»
qu'a me dit

si je monte en haut
mon frère qui partage une chambre à coucher
avec moi a la quatrième tv d'allumée.

au bout de mes hardes
je shake la table
je passe sur les bords...
c'est la maison qui pète
de onze heures à onze heures (YATO, p. 32-33)

Voyons maintenant comment Patrice Desbiens s'y prend pour décrire une scène analogue.

La main, machinale comme une pelle mécanique, ramasse le verre, l'amène à la bouche, la bouche prend une gorgée. La main retourne le verre à sa place et, en revenant, prend la cigarette et l'amène à la bouche. A la télévision, un western avec Charles Bronson qui a l'air tough parce qu'il possède l'unique talent de parler sans ouvrir la bouche. Le volume est presque au maximum. Des coups de fusils, des hennisse-ments de chevaux et, mêlées dans tout ça des annonces pour un disque d'Elvis, la plus complète collection à date, etc. La main continue de remplir la bouche de l'homme de fumée et de liquide. L'homme est assis sur un divan en avant de la t.v. [...] Il y a longtemps que sa femme dort. Il l'entend tousser dans la chambre à coucher. Les enfants, eux aussi, dorment. (SUDB, p. 19)

L' optique est un peu différente, il faut le rappeler, puisqu'ici l'accent est mis sur le personnage qui regarde la télé en solitaire, alors que dans le texte de Guy Arsenault, c'est toute la maisonnée qui est accaparée par quatre téléviseurs, à l'exception de la mère et de l'auteur lui-même.

CONCLUSION

En conclusion, il convient de souligner que ces trois auteurs sont parfaitement capables d'écrire en français normalisé, leur production en français standard allant du poème homogène au recueil complet, comme c'est le cas pour Patrice Desbiens qui a fait paraître une plaquette de poèmes écrit en français à peu près normalisé, *Amour ambulance*[31], à l'époque où il s'est installé dans la Vieille Capitale. S'ils ont recours à l'anglais, c'est, de toute évidence, par choix.

On l'aura noté, l'anglais, dans leurs poèmes, n'est pas destiné à faire «couleur locale», mais il se trouve pleinement intégré à l'œuvre. On peut voir dans cette fusion un prolonge-ment littéraire d'une situation sociolinguistique où l'anglais est omniprésent et s'infiltre dans tous les secteurs d'activité, y compris dans ces enclaves protégées que sont le foyer et l'école.

S'ils se servent de l'anglais pour nous montrer certaines conséquences d'une situation que d'aucuns pourraient qualifier d'aliénante sur le plan linguistique, ils adoptent en général une approche qu'on pourrait appeler descriptive, sans jugement de valeur ni virulente dénonciation comme d'autres poètes l'on fait dans des textes engagés[32]. Le rapport langue dominée/langue dominante, chez ces trois auteurs, est illustré par de multiples exemples, dont certains font réfléchir, mais c'est le lecteur qui en tirera ses propres conclusions.

Par ailleurs, ces écrits plus ou moins imprégnés d'anglais ne peuvent être décodés parfaitement que par un public lecteur bilingue de sorte que, par un juste retour des choses, ces francophones à qui on n'a pas laissé le choix de se mettre à l'apprentissage de l'autre langue, de gré ou de force, se retrouvent maintenant détenteurs de deux codes donnant le libre accès aux textes écrits dans les deux langues officielles. Deux codes qui enrichissent la palette stylistique, du double point de vue des évocations et des sonorités. Le vocable anglais, malgré une similitude plus ou moins parfaite avec son équivalent français sur le plan de la dénotation, comporte presque invariablement un réseau connotatif distinct. Quant aux sonorités, elles sont carrément autres, et cette ressource peut être mise pleinement mise à profit dans des textes de facture poétique, surtout que l'anglais, dans la mesure où cette langue demeure autre, peut très bien remplir une fonction incantatoire «mythique», pour reprendre la terminologie d'Henri Gobard, commentée par Gilles Deleuze dans sa préface[33].

C'est ainsi que l'anglais participe à part entière à l'esthétique, à la densité poétique de ces œuvres. Il est dans la nature des choses d'imposer la séparation des idiomes en contexte normatif, lors du processus d'apprentissage des langues par exemple. Conserver le même état d'esprit dans le champ des lettres priverait l'écrivain d'une authentique ressource stylistique et empêcherait le lecteur de goûter ces passages où la présence de l'anglais confère une force, un effet indéniables.

Il faut admettre que cette attitude libérale vis-à-vis de l'anglais est plus facile à pratiquer à l'extérieur du Québec, là où le français est déterritorialisé, une situation qui interdit toute velléité d'hégémonie linguistique. De prime abord, on ne voit que des inconvénients subis par une langue ainsi privée d'assises territoriales, en porte-à-faux, mais il est permis d'attribuer au moins un avantage à une telle conjoncture, celui de dissoudre les blocages qui empêchent le recours à l'autre langue dans un contexte littéraire, tant du côté des écrivains que des lecteurs.

Loin de nous la pensée de préconiser un recours systématique ou même fréquent à l'anglais dans la production littéraire de langue française accomplie en milieu minoritaire, ou encore de suggérer un dosage, une limite à ne pas dépasser sous peine de déraper dans un sabir, dans la créolisation des textes. Ce genre d'hybridité ne convient pas à toutes les situations pas plus qu'à tous les écrivains. Pour certains, l'écriture en français général demeure le moyen d'expression qui leur permet d'exceller. Il ne faut pas verser dans le ridicule et croire qu'en saupoudrant ses poème d'anglais on leur conférera automatiquement une facture d'authenticité francophone minoritaire.

Non, pour produire un texte réussi, il faut avant tout de l'inspiration et du talent, et c'est à cette aune qu'on évaluera la qualité d'une œuvre. Une fois admis ce principe élémentaire, il faut du même coup exorciser toute idéologie manichéenne qui prônerait la séparation absolue des langues, sous prétexte de pureté linguistique. Qu'on se sente soi-même incapable d'une telle altérité pour quelque motif que ce soit, il n'y a rien là de particulier. Mais une telle attitude confine à la schizophrénie si on refuse le statut de littérarité aux textes qui le méritent, sous prétexte qu'on y a fait se côtoyer, fusionner des langues distinctes.

Notes

1   Jacques Poulin, *Volkswagen Blues*, Montréal, Québec/Amérique, 1984, p. 224.

2   «Lettre d'Octave Crémazie à l'abbé Henri-Raymond Casgrain (janv. 1867)» citée par David M. Hayne, «Les grandes options de la littérature canadienne-française» (p. 69), dans *Études françaises*, Montréal, vol. 1, n° 1, février 1965, p. 68-89. L'auteur de l'article confronte les tenants du français général avec des partisans d'une langue littéraire canadienne. Parmi les premiers, il cite Jules Fournier, Marcel Dugas et Jean-Charles Harvey, ce dernier ne craignant pas de déclarer que «le français est un et indivisible» (p. 76). Quant aux seconds, ils recrutent des adeptes non moins prestigieux, tels Harry Bernard, Albert Pelletier et Claude-Henri Grignon. Pelletier, par exemple, après avoir mis en doute le droit de propriété des Canadiens sur le français parisien, suggère à ses compatriotes de se servir «avec bon sens, avec goût, avec art, du vocabulaire canadien» (p. 76).

3   Jules Fournier, «Réplique à M. ab der Halden», dans *Revue Canadienne*, Québec, février 1907, p. 133.

4   Marie-Andrée Beaudet, *Langue et littérature au Québec 1895-1914*, Montréal, l'Hexagone, 1991, 223 p.

5   En utilisant le sous-titre imagé «Le français des villes et le français des champs», Marie-Andrée Beaudet montre comment Mgr Camille Roy mettait en opposition le langage des campagnes qui «a la pureté et l'éloquence naturelle du Grand Siècle», et celui des villes qui «est corrompu, truffé d'anglicismes» (*ibid.*, p. 100). Notons que Mgr Félix-Antoine Savard entretenait lui aussi rigoureusement la même vision manichéenne : «[...] notre parler populaire traditionnel. Je le trouve de plus en plus riche d'une foule de beaux mots et expressions de pure source française. [...] A côté de cette langue populaire dont je viens de dire les ressources, il en est une autre qui s'entend dans nos villes industrielles surtout, où s'entassent une foule de prolétaires racolés de partout. Là sévissent en pleine liberté : l'anglicisme américain, et tous les mots charriés pêle-mêle par les importations, les modes, le tourisme.» Citations extraites de «L'écrivain et la langue française», discours prononcé à l'occasion des «Noces d'or de la Société du parler français au Canada. Québec, 20 juin 1952» et reproduit dans *Discours*, Montréal, Fides, 1975, p. 18-20.

6   Jules-Paul Tardivel, *L'Anglicisme, voilà l'ennemi*, conférence prononcée devant le Cercle catholique de Québec le 17 décembre 1879, Québec, Imprimerie du *Canadien*, 1880, 28 p.

7   Jean Charbonneau, *Statuts de l'Ecole littéraire de Montréal*, Montréal, Harbour & Dupont imprimeurs-éditeurs, 1900, 12 p. Citation reprise de Marie-Andrée Beaudet, *op. cit.*, p. 114.

8   Abbé Thomas Maguire, *Manuel des difficultés les plus communes de la langue française, adapté au jeune âge, et suivi d'un recueil de locutions vicieuses*, Québec, Fréchette & Cie, 1841, 184 p.

9   Voir Gaston Dulong, «L'anglicisme au Canada français : étude historique», dans Jean-Denis Gendron et Georges Straka (rédacteurs), *Études de linguistique franco-canadienne*, Québec, PUL, 1967, p. 9-14.

10   François Paré, *Les Littératures de l'exiguïté*, Ottawa, Le Nordir, 1992, p. 31.

11   À propos de ce transfert du nationalisme ethnique au nationalisme civique, on lira avec intérêt l'article de Claude Denis, «La Patrie et son nom. Essai sur ce que veut dire le "Canada français"», dans *Francophonies d'Amérique*, n° 6, 1996, p. 189-198.

12   Simon Harel, *Le Voleur de parcours*, Longueuil, Le Préambule, 1989, p. 114.

13   Paul Chamberland, «De la damnation à la liberté», dans *Parti pris*, n°s 9-10-11, été 1964, p. 67. Citation reprise de Simon Harel, *op. cit.*, p. 124.

14   Voir Simon Harel, *op. cit.*, p. 145.

15   *Ibid.*, p. 89.

16   *Ibid.*, p. 88.

17   Gilles Deleuze et Félix Guattari, *Kafka, pour une littérature mineure*, Paris, Les Éditions de Minuit, 1989, p. 29-50.

18   Mikhaïl Bakhtine, *Esthétique de la création verbale*, Paris, Gallimard, 1984, p. 368. Citation reprise de Betty Bednarski, *Autour de Ferron. Littérature, traduction, altérité*, Toronto, Éditions du GREF, 1989, p. 80.

19   François Paré, *op. cit.*, p. 8.

20   Les œuvres utilisées sont celles qui suivent, avec, entre parenthèses, le symbole que nous utiliserons dorénavant pour désigner chacune d'elles, afin de ne pas alourdir inutilement le texte par de multiples renvois : Guy Arsenault, *Acadie Rock*, Moncton, Les Éditions d'Acadie, 1973, 75 p. (ACRO); Guy Arsenault, *Y'a toutes sortes de personnes*, Moncton, Michel Henry éditeur, 1989, 64 p. (YATO); Patrice Desbiens, *Les Conséquences de la vie*, Sudbury, Prise de parole, 1977, 47 p. (CDLV); Patrice Desbiens, *L'Homme invisible/The Invisible Man*, Sudbury, Prise de parole/ Moonbeam, Penumbra Press, 1981, 46 p. bis (HIIM); Patrice Desbiens, *Sudbury*, Sudbury, Prise de parole, 1983, 63 p.

(SUDB); Patrice Desbiens, *Poèmes anglais*, Sudbury, Prise de parole, 1988, 61 p. (POAN); Charles Leblanc, *Préviouzes du printemps*, Saint-Boniface, Éditions du Blé, 1984, 55 p. (PRDP); Charles Leblanc, *D'amour et d'eaux troubles*, Saint-Boniface, Éditions du Blé, 1988, 74 p. (AMET).

21 William Francis Mackay, «Langue, dialecte et diglossie littéraire», dans *Diglossie et littérature*, sous la direction d'Henri Giordan et Alain Ricard, Bordeaux-Talence, Maison des sciences de l'homme, 1976, p. 46.

22 Voir Simon Harel, *op. cit.*, p. 145.

23 W.F. Mackay, art. cité, p. 46.

24 *Ibid.*, p. 44.

25 Il faut éviter de se méprendre quant au contenu de ce recueil où ne se trouve aucun «poème anglais». Le titre est inspiré par la toute fin du recueil où Patrice Desbiens écrit : «De temps en temps je sors mes poèmes anglais. Je les relis et les relis. Je les trouve vraiment bons.» (p. 61).

26 W.F. Mackay, art. cité, p. 31.

27 Simon Harel (*op. cit.*, p. 260) fait le commentaire qui suit à propos de l'utilisation de l'italique pour mettre en relief les «incorrections de langage» du personnage Egon Ratablavsky : «[...] les paroles de Ratablavsky sont constamment greffées d'italiques qui marquent dans le roman de Beauchemin l'indication d'une norme, la manière dont une chose aurait dû être dite et sa réalisation linguistique effective.»

28 Betty Bednarski (*op. cit.*, p. 43) a décrit en ces termes la réaction négative que peuvent susciter les termes anglais auprès des lecteurs québécois : «Je suis consciente des connotations négatives que peut avoir le mot anglais en (con)texte québécois. Je sais que sa présence rappelle automatiquement une agression, le niveau de résistance très bas d'une langue par rapport à une autre.»

29 La traductrice de l'œuvre de Jacques Ferron (*op. cit.*, p. 42-43) commente longuement cette façon que possède l'auteur d'intégrer les anglicismes à la graphie du français, en soulignant que le procédé a pour effet d'assurer la maîtrise de l'écrivain francophone sur ces emprunts.

30 William Henry Drummond naquit en Irlande en 1854 et mourut à Kerr Lake, en Ontario, en 1907. Parmi ses recueils de poèmes les plus connus, tous transposés dans un anglais tel que Drummond l'entendait lorsqu'il était parlé par les Canadiens français de l'époque, citons *The Habitant* (1897), *Johnnie Courteau* (1901) et *The Voyageur* (1905).

31 Patrice Desbiens, *Amour ambulance*, Trois-Rivières, Les Écrits des Forges, 85 p.

32 On pense ici au retentissant «Speak White» de Michèle Lalonde qui a trouvé un écho en Louisiane, grâce à Jean Arceneaux (Barry Ancelet) et à son poème intitulé «Schizophrénie linguistique» où, là aussi, le leitmotiv accusateur est libellé en anglais : «I will not speak French on the school grounds.» (*Cris sur le bayou*, Montréal, Les Éditions Intermède, 1980, p. 16-17.) On peut encore mentionner *Mourir à Scoudouc* d'Herménégilde Chiasson et la fameuse tirade du «PLEASE» : «PLEASE kill us please draw the curtain please laugh at us please treat us like shit please [...].» (Moncton, Les Éditions d'Acadie, 1974, p. 44.)

33 Henri Gobard, *L'Aliénation linguistique*, Paris, Flammarion, 1976, 298 p. Gilles Deleuze, dès les premières lignes de sa préface, énonce la quadruple distinction commentée plus loin par l'auteur : vernaculaire, véhiculaire, référentiaire et mythique (p. 9).

Le rôle particulier des éléments exogènes dans l'œuvre de Jean Marc Dalpé et de Louise Fiset

L ES ÉLÉMENTS EXOGÈNES, notamment les anglicismes, s'intègrent à la trame même des textes littéraires élaborée dans les milieux «minoritaires», avec des mots d'ajointement particulier, et avec des combinaisons élargies qui, à la limite, postulent une connaissance presque parfaite de l'autre langue, les auteurs étant eux-mêmes détenteurs d'un double code linguistique[1]. Les textes produits dans ces conditions présentent de l'intérêt non seulement à cause de leur fonction identitaire, mais aussi par le renouvellement dont ils sont porteurs sur le plan de l'écriture.

C'est dans cette perspective que nous avons choisi d'analyser l'hétérolinguisme[2] dans la production poétique d'un auteur franco-ontarien, Jean Marc Dalpé, en comparant celle-ci aux recueils de poésie d'une écrivaine originaire elle aussi de l'Ontario, mais qui a vécu à Moncton avant de s'installer dans l'Ouest, à Winnipeg, où elle a commencé à publier.

En ce qui concerne Jean Marc Dalpé, nous avons écarté ses textes dramatiques pour ne conserver que ses trois recueils de poésie, témoins de son orientation première en littérature, avant qu'il n'opte définitivement pour le théâtre, et, tout dernièrement, pour le roman avec *Un vent se lève qui s'éparpille*[3]. Quant à Louise Fiset, nous avons retenu ses deux recueils de poésie[4].

JULES TESSIER

Le recours à l'anglais : divergences, similitudes, évolution

Tant chez Jean Marc Dalpé que chez Louise Fiset, parmi les emprunts à l'anglais, on distingue les éléments lexicaux simples, repris tels quels ou intégrés à la morphologie du français, ainsi que des expressions ou syntagmes, des phrases complètes, des passages entiers. Par rapport au phénomène des éléments exogènes, on note chez les deux auteurs, d'un titre à l'autre, une évolution qu'il convient de souligner.

Ainsi, Jean Marc Dalpé, dans son tout premier recueil de poèmes intitulé *Les Murs de nos villages* (MNV) et publié chez Prise de parole dans la collection «Les perce-neige», «réservée aux auteurs qui malgré leurs talents n'ont jamais eu l'occasion d'être publiés par un éditeur[5]», le jeune écrivain, donc, ainsi que le titre permet de le prévoir, évoque l'univers semi-rural de ces villages franco-ontariens en mettant l'accent sur les gens ordinaires et leurs activités quotidiennes, prosaïques, transposées grâce à la vision ennoblissante du poète, phénomène encore là tout à fait prévisible. Des anglicismes, il n'y en a guère dans ce recueil, seulement des considérations sur la langue «couleur terre couleur misère» (MNV, p. 11), avec une tirade finale sur la nécessité de «dire» (p. 40), de sortir cette langue refoulée «dans nos poches» (p. 41) — l'antiphrase de l'expression essentiellement négative, «ne pas avoir la langue dans sa poche» — des poches avec des trous par lesquels a filé un peu de cette langue «sur le chemin entre le chez-nous et le chez-les-autres» (p. 41). L'allusion à l'Autre présenté ici comme un agent de déperdition est plutôt discrète, à peine mise en relief par le recours aux traits d'union et à l'article défini.

Dans *Gens d'ici* (GI), la ruralité est évoquée dans un court passage intitulé «La terre» (GI, p. 49-51), où l'on ne trouve nulle trace d'anglicisme, tout au plus le canadianisme «blé d'Inde». Il en va tout autrement dans le reste du recueil, car les petites gens de tout à l'heure ont quitté le calme douillet des villages pour aller gagner leur vie dans trois secteurs d'activité qui ont en commun d'être occupés par des travailleurs manuels embauchés par un patronat anglophone, soit celui des usines, de la coupe du bois et de l'exploitation minière. Les mots anglais y sont légion, l'écho de ces emprunts massifs effectués chez l'autre dans la vraie vie, l'éternel et incontournable créancier langagier : «shift de jour», «shift de nuit», «time clock» (p. 71), «foreman» (p. 72), etc., le tout agrémenté par ces noms de compagnies, telles la C.I.P., la Spruce Falls, l'Inco (p. 87), autant de multinationales installées dans la province et qui ont engendré un nouveau type d'ouvriers, «les Nigger-Frogs de l'Ontario» (p. 91). Les mots directement empruntés à l'anglais et qui envahissent le texte français sont destinés à présenter au lecteur une véritable tranche de vie caractérisée par la confrontation entre deux groupes linguistiques dans une dialectique dominant/dominé d'inspiration marxiste, l'aliénation du plus faible étant poussée à la limite de la dépossession linguistique.

Dans le troisième titre, *Et d'ailleurs* (EA), publié trois ans seulement après le précédent, on assiste à un revirement spectaculaire. En effet, Jean Marc Dalpé, après un séjour prolongé à Paris où il s'est senti «étranger» au point d'avouer que «la langue pour dire Paris n'est pas la [s]ienne» (EA, p. 41), rêve de son retour à Sudbury dépeint par «la [rue] Coulson», «une Firebird», le «popcorn», la bière commandée en anglais : «Two Molson X, please», pour avouer finalement que cet univers largement métissé par la langue de l'Autre est bel et bien le sien, celui où il se retrouve chez lui : «Icitte c'est chez nous!» (p. 70). Le changement de point de vue est radical.

Les deux recueils de Louise Fiset ont été publiés à dix ans d'intervalle. Dans ces deux ouvrages, les thèmes et la perspective, mais aussi la forme, diffèrent de façon notable. Dans le premier paru en 1989, *404 BCA Driver tout l'été* (DTE), l'auteur nous entraîne dans un univers d'errance, ainsi que le

titre le laisse entendre, pour nous mettre en contact avec
l'atmosphère sulfureuse des bars et des clubs, dans un monde
de «char» (DTE, p. 16), de «strip» (p. 35), de «broue» (p. 17)
et autres euphorisants. Les vocables anglais repris tels quels
sont peu nombreux et conventionnels au point de faire partie
du vocabulaire de base de tout honnête Canadien français. En
voici la liste à peu près complète : «trafic» (p. 13), «cannes de
fixatif» (p. 28), «brake» (p. 33), «bills» (p. 37), «tracks» (p. 65)
et «joke» (p. 69). Alors que chez Jean Marc Dalpé on sent la
technique de l'écrivain qui utilise les anglicismes pour nous
dépeindre l'univers langagier du monde ouvrier, on ne trouve
pas chez Louise Fiset cette distanciation et les mots apparaissent comme étant du cru de l'auteur, ou à tout le moins,
rattachés à l'instance narrative. En outre, elle y fait un usage
abondant d'anglicismes intégrés à la morphologie du français
et de passages plus ou moins longs homogènes en langue anglaise, ainsi que nous le verrons plus loin.

Le second titre, *Soul pleureur* (SP), paru en 1998,
marque une évolution notable par rapport au fond, le recueil
étant d'une thématique beaucoup plus tellurique, et les questions de survie linguistique y étant abordées de façon explicite, avec une préoccupation particulière pour les Métis,
autant de questions tout à fait absentes du premier titre
orienté davantage vers la description d'un univers ludique
«hard». Sur le plan linguistique, étonnamment, on y trouve
davantage de régionalismes tirés du (vieux) fonds français que
d'anglicismes, éliminés du texte à quelques rares exceptions,
qui se justifient parce qu'ils décrivent une véritable institution locale, telle la «slague» de Sudbury (SP, p. 13), ou encore
pour permettre des effets de style fondés sur la translittération,
tel le titre même de l'œuvre.

Quant aux anglicismes morphologiquement intégrés,
Louise Fiset, dans son premier recueil, a recours à un bon
nombre de verbes empruntés et conjugués comme il se doit
conformément aux verbes du premier groupe en français. La

plupart d'entre eux correspondent à ceux qu'on entend couramment dans les conversations, à un niveau populaire, tant au Québec qu'ailleurs au pays, tels «checker», «dealé» (DTE, p. 21), «fucké» (p. 36), «driver» (titre, p. 62), «switcher» (p. 64), en les combinant, à l'occasion, avec des emprunts demeurés tels quels, comme «Trop busy d'bosser» (p. 51). Jean Marc Dalpé utilise le procédé avec infiniment plus de parcimonie, telle la «carte à puncher» de l'ouvrier qui travaille sur les «shifts» (GI, p. 71).

Louise Fiset va plus loin et joue de toutes les audaces en faisant la preuve que n'importe quel verbe anglais peut être ainsi conjugué. Qu'on en juge : «grosses veines de gauche cloaquées» (DTE, p. 15), «slam les brakes» (p. 21), «slammé fort» (p. 47), slappait (p. 36), etc. Dans ces exemples, le groupe de mots commençant par SL, très peu productif en français[6], est mis à profit sans doute pour ses vertus allitératives, la sonorité ainsi produite allant de pair avec le geste brusque décrit par ces verbes. Il y a probablement aussi, de la part de l'écrivain, une volonté délibérée d'aller à l'encontre de tabous stylistiques qui proscrivent de telles licences quand on veut faire œuvre de littérature, au sens restreint et puriste du terme, s'entend. En somme, un geste contestataire, caractéristique d'une époque; conséquence, également, d'un état d'esprit particulier chez l'auteure.

Cependant, quand on compare le second recueil de Louise Fiset au premier, le contraste est frappant. On n'y trouve plus qu'un seul verbe ainsi intégré, et encore, il fait partie d'une série de modulations sur la translittération annoncée par le titre : «Je me rocke de soul» (SP, p. 31), un vers faisant partie du poème éponyme «Soul pleureur» (p. 30-31), dont le titre est repris au début des strophes à la façon d'un leitmotiv. Les variations se lisent comme suit : «Ce n'est rien qu'un air soûl de soul» (p. 42), «Au soul plaisir de me perforer les poumons» (p. 30). On aurait préféré que l'auteure nous épargne cette dernière trouvaille, moins réussie que les précédentes, l'effet stylistique reposant sur une paronymie quelque peu forcée. On ne trouve dans ces pages aucun autre vocable anglais maquillé en français.

D'ailleurs, Louis Fiset, dans *Soul pleureur*, est à ce point rentrée dans les rangs de l'orthodoxie linguistique que même ses onomatopées ont fait l'objet d'une refrancisation; en tout cas ils se sont singulièrement assagis. En effet, dans *404 BCA Driver tout l'été*, on trouve deux transcriptions de sons qui expriment des sensations opposées, la satisfaction et la douleur, la graphie montrant l'origine anglaise des onomatopées, sans l'ombre d'un doute dans le premier exemple cité :

«mmmmyeah » (p. 65)
«Owwwwwww [onomatopée de douleur]» (p. 48)

La douleur instantanée et subite, en français ordinaire, se transcrit habituellement par «Ayoye». Or, dans *Soul pleureur*, cet étrange «owwwwwww» est remplacé par le traditionnel «Aguyiolle» (p. 25). Plus loin dans le recueil, on trouve encore un «ploc final» (p. 35), une onomatopée qui apparaît dans les colonnes du *Petit Robert*.

Pour ce qui est des expressions ou phrases complètes empruntées telles quelles à l'anglais, tant Dalpé que Fiset en ont reproduit un certain nombre parmi celles qu'on entend fréquemment dans les conversations en langue française, particulièrement dans les milieux où l'anglais est la *lingua franca*. À la façon dont Dalpé se sert de vocables anglais simples pour reproduire l'environnement des milieux propres à la classe ouvrière, les deux auteurs reconstituent la trame sonore des milieux «bilingues» en insérant dans leurs textes de ces formulations ou phrases qui ont atteint un niveau d'autonomie tel qu'elles ont acquis une mobilité les rendant aptes à voyager d'un idiome à l'autre, et une immuabilité qui empêche l'usager de les modifier à sa guise, telles des formules ritualisées par l'usage.

Dans ce domaine, l'élément minimal sera constitué d'un mot en apparence isolé, alors qu'il remplit une fonction de déterminant à valeur syntagmatique indissociable du déterminé, lequel peut fort bien être un vocable tout à fait français. C'est ainsi que chez Dalpé, «sunnyside» est rattaché au mot «œufs» qui précède (GI, p. 40); quelques lignes plus loin, c'est un extrait de comptine beaucoup plus long qui est reproduit, sans qu'un iota n'en soit modifié : «[...] sleep tight, don't let the bed bugs bite...» (p. 41). Il faut noter que ce genre d'importation caractérisée par un respect scrupuleux de la formulation est réservé aux écrivains suffisamment bilinguisés pour saisir toute la dimension cabalistique de l'emprunt.

Louise Fiset emploie aussi des expressions anglaises, mais qui ressortissent davantage à ce qu'il est convenu d'appeler des expressions de remplissage, à des tics de langage, plus ou moins vidés de leur sens premier, et employés machinalement par les locuteurs, comme «let's go» (DTE, p. 10), «I don't care» (deux fois de suite) (p. 48). Chez elle, les passages en anglais prennent souvent de l'ampleur, telle cette interpellation reproduite en exergue au poème «The ol' cowboy saloon» : «Hey! Sweetheart are you up next?» (p. 13). On dirait une de ces répliques tirées d'un film mettant en vedette Humphrey Bogart, ou l'une ou l'autre de ces formules apparemment inaltérables extraites de films-culte que les Américains répètent sans jamais se lasser, comme envoûtés par l'effet incantatoire d'une phrase que le cinéma a gravée dans leur subconscient collectif.

Chez elle, plus l'emprunt à l'anglais prend de l'ampleur, plus il se justifie par sa valeur stylistique propre et non par le métissage avec la langue d'accueil. En corollaire, il faut ajouter que le lecteur appréciera ces passages dans la mesure où il a une bonne connaissance de l'autre langue, suffisamment en tout cas pour apprécier les effets de style produits à l'intérieur d'une langue autre. Ainsi, le francophone qui a quelque connaissance de l'anglais sera-t-il en mesure de goûter les assonances de ces deux premiers vers apparaissant dans le poème «La mentalité d'un char», tout en étant sensible au ton «rocker» qui se dégage de l'ensemble :

Burn your wheels
Wheel n'deal
Coca-Cola
Slam les brakes (DTE, p. 16)

Cependant, dans le poème «Wandah, Wandah», le même lecteur francophone «ordinaire» risque d'être un peu perdu non seulement pour apprécier la portée stylistique d'un refrain qui est repris trois fois avec des variantes, mais encore pour en décoder le sens premier :

Wandah, Wandah
did the shimmy
At Otter Falls [...]

Wandah, Wandah
Does the shimmy
N, shows you How it falls [...]

Wandah, Wandah
Does the burnin' shimmy
For You?!
Letting pain be the guide
To find her shoe. (DTE, p. 28)

On retrouve ailleurs dans ce recueil le procédé, non plus du passage isolé, mais de l'expression en anglais reprise périodiquement dans le poème à la façon d'un refrain ou d'un leitmotiv, comme «Ice Dancing» et «While dancing» dans le poème «Madrigal» (DTE, p. 66), et «Tall, crazy Blue» repris quatre fois dans le poème du même titre (p. 68).

Chez Jean Marc Dalpé, l'approche est différente et le phénomène de la distanciation évoqué plus haut pour les éléments simples joue, ici encore, pour les emprunts plus considérables qui vont jusqu'à la strophe complète en anglais. Contrairement à Louise Fiset qui s'approprie en quelque sorte la langue autre, qui la fait sienne pour en insérer des passages dans ses poèmes, Dalpé utilise le procédé à des fins documentaires, comme outil, toujours, pour évoquer une société en situation de langue dominée, où «toutes les pancartes sont en anglais même si on est dans le Moulin à fleur» (EA, p. 16). Pour une société homogène sur le plan linguistique, comme la ville de New York, décrite dans un long poème où se trouvent des strophes complètes en anglo-américain, le but évident est de recréer l'ambiance de cette métropole :

> Listen to the street man
> they know where it's at
> they know what's comin' down
> they don't lie to you
> like all the other fuckin' bastards in this town. (EA, p. 28)

Tant chez Fiset que Dalpé, on remarque la facture «slang» de l'anglais, mais la ressemblance s'arrête là. Dalpé s'arrange pour que le lecteur comprenne qu'il cède la parole à un autre dans ces tirades en style direct, un procédé analogue à celui qu'il utilise pour recréer l'ambiance parisienne un 14 juillet, «au zinc du café» :

> Six francs la bière, Messieurs Dames. Six francs. Cri. Accordéon. Pétard, pétard, bagarre. T'es con mec. Deux merguez, s'il vous plaît. T'es con mec. (EA, p. 45)

Et pour qu'il ne subsiste aucun doute quant au peu d'empathie ressentie par l'auteur par rapport à la scène qu'il décrit longuement sur une douzaine de lignes *ejusdem farinae*, il conclut le passage par ces mots : «Harold let's get outta here.»

(*Ibid.*) On aura noté la fonction particulière dévolue à cette réplique en anglais.

Signalons enfin que Louise Fiset et Jean Marc Dalpé, dans les titres retenus, n'ont publié aucun poème homogène écrit en langue anglaise, contrairement à Charles Leblanc (Ouest), Patrice Desbiens (Ontario) et Guy Arsenault (Acadie) qui, eux, se sont adonnés à ce genre d'exercice[7].

Les régionalismes autres que les anglicismes

Quant aux régionalismes tirés du vieux fonds français (archaïsmes et dialectalismes) ou créés ici, tout comme pour les anglicismes, Jean Marc Dalpé les utilise essentiellement dans le but de reproduire la parlure de ses petites gens alors que Louise Fiset les intègre à son texte en les assumant en tant qu'écrivaine.

Ainsi, chez Fiset, on constate cette appropriation de nos particularités langagières, qu'il s'agisse du dialectalisme «broue» dans le vers «Dans la broue de ma bière», à l'intérieur du poème intitulé justement «La broue de ma bière» (DTE, p. 17), ou encore du verbe «garrocher» ou du substantif «barbeaux[8]», eux aussi d'origine dialectale, utilisés avec pronom objet et adjectif possessif à la première personne :

Pis garroche-moi
Une toune drôle (DTE, p. 30)

Mes mains saisissent les mots garrochés hors contexte pour [...] couvrir les pages de mes beaux barbeaux. (SP, p. 14)

Ainsi que nous l'avons mentionné plus haut, on ne trouve que très peu d'anglicismes dans *Soul pleureur*; on y rencontre plutôt des particularités langagières appartenant à la catégorie des régionalismes d'origine autre qu'anglaise. À titre d'exemple, le poème «Mémoère d'amour» qui porte dans son titre un trait de prononciation archaïsant, lequel se répercute

en écho dans le premier vers, «Par ce boutte icitte», se termine
ainsi :

> Ma grosse toune de mémoère d'amour.
> Ô mémoère d'enfer! (SP, p. 15)

Il faut éviter de tomber dans le piège de la similitude homo-
nymique, puisque la «toune» dont il est question est un canadianisme servant à désigner une personne obèse, alors que la
«toune drôle» citée quelques lignes plus haut et extraite du
premier recueil est un anglicisme dérivé de «tune».

Une fois soulignée la prédominance des régionalismes
d'origine autre qu'anglaise dans le second recueil de Louise
Fiset, il faut admettre que ce genre de particularité lexicale
constitue un phénomène marginal dans sa production
littéraire. Ces vocables, assumés par l'auteur, sont peu nombreux, donc épars dans ses textes et par conséquent inaptes à
produire cet effet de trame sonore populaire intégrée subtilement au texte, en contrepoint à l'instance narrative, comme
réussit à le faire Jean Marc Dalpé.

En effet, chez Dalpé, ces mots savamment placés au
milieu de phrases au demeurant conformes à la morphosyntaxe du français standard ont un effet beaucoup plus fort
sur le lecteur que les termes techniques ou neutres d'un sociologue, par exemple, puisqu'on y sent tout le tremblement de
l'existence, comme dans l'extrait suivant :

> Il y a des jours
>   c'est vrai
> qu'à force d'être enterré au fond des mines
> ou en dessous des bruits sourds de l'usine
> qu'à force d'avoir été *barouettés* par les politicailleries
> et par les *placotages*
>   des femmes-fourrures
>   des hommes-cognacs
> et par leurs *menteries* [...] (GI, p. 13; nous soulignons)

Mais comment évoquer cet univers de travailleurs manuels francophones astreints à de rudes tâches sans parler des jurons, des «sacres»? On en trouve deux dans *Gens d'ici*, et chaque fois, l'auteur les encadre avec des guillemets simples, pour bien montrer l'appartenance autre de ces jurons et prendre ses distances en quelque sorte :

> comme un 'Chriss d'hostie' (p. 13)
> Noël cru comme le 'Sacrament' (p. 81)

Évolution oblige, dans le recueil *Et d'ailleurs*, publié trois ans plus tard, les guillemets ont disparu, de même que la majuscule initiale, les deux modifications étant sans doute liées l'une à l'autre, puisqu'en désacralisant le vocable par la suppression de la majuscule, l'impact blasphématoire s'en trouve amoindri :

> [...] dans ces cœurs
> en verres, en cages, en sacrament (p. 9)

Sans doute consciente de l'effet-choc produit par ces sacres, Louise Fiset y a recours une seule fois et, assez étonnamment, au tout début d'un poème écrit en un français rigoureusement standardisé et qui s'intitule «Eau-forte». Cependant, elle joue sur la polysémie du vocable en quelque sorte et lui fait remplir une double fonction, celle du signifiant simple à décoder au premier degré — le déterminant «sang» nous orientant dans cette voie —, et aussi celle de l'emploi métaphorique vocatif du juron, grâce à l'ajout d'un signe diacritique, renvoyant à une prononciation populaire qui ne laisse planer aucun doute sur les intentions de l'auteure :

> Câlices de souvenirs
> D'abus et de mauvais sang
> Acides et alcooliques. (SP, p. 21)

Le procédé, subtil par sa discrétion et raffiné grâce à l'ajout de cet accent très «design» oserait-on dire, métamorphose un vulgarisme en une espèce de lettrine...

Par ailleurs, Jean Marc Dalpé, afin de brosser un portrait complet de ses gens ordinaires, s'intéresse encore à leur environnement naturel, fait «d'*épinette*[*s*] *noire*[*s*]» (MNV, p. 31; nous soulignons), «d'érables, de pins et d'*épinettes*», d'«envolées d'*outardes*», sans oublier «le *frette* d'un hiver sous zéro» (GI, p. 14). Tout le volet loisir, l'aspect ludique de la vie de ces francophones sont évoqués avec des mots bien à eux, tels ces «*gigues*» et «*ridodons*» [*sic*] (GI, p. 14), «leurs *cuillères*, leur musique à *bouche*», «leur *bombarde*» (GI, p. 44). Mais de quelles «cuillères» s'agit-il donc pour qu'on les ait ainsi sorties de la cuisine pour les promouvoir au statut d'instruments de musique? La précision nous est fournie dans l'autre recueil, par l'ajout d'un déterminant d'origine anglaise, puisqu'il s'agit de «*cuillères steppeuses*» (EA, p. 77), destinées à scander les soirées de musique et de danse,

> image d'un peuple de défricheurs, de travailleurs
> de *gigueux* et de *raconteux* d'histoires drôles. (GI, p. 42)

Dalpé utilise abondamment ces mots à désinence en «eux», lesquels décrivent une occupation, une activité quelconque. Fait à souligner, afin d'éviter un effet de charge aux relents de littérature du terroir, ou plutôt d'un misérabilisme contraire à la visée généralement ennoblissante de l'auteur, ce dernier prend soin de les «entrelarder», de les faire alterner avec des vocables dotés de la désinence de français standard en «eur», selon des combinatoires variées, par strates, comme dans l'exemple qui précède, ou par juxtaposition :

> les bras de *bûcheux* et de cultivateurs (GI, p. 25)
> *Bûcheux*, mineurs, fermiers (p. 86)

Au chapitre des alternances, chez Louise Fiset, on trouve des doublets en français standard attestant le choix délibéré, éclairé, pas fait par défaut ou par ignorance, des équivalents d'anglicismes et de régionalismes apparaissant dans son œuvre, parfois même à proximité les uns des autres. Ainsi, les expressions «slam les brakes» (DTE, p. 16) et «traces de brake» (p. 33) sont entrecoupées par le vers suivant, d'une facture digne des grands classiques : «Freins, pneus et têtes éclatés» (p. 31). Le poème «Mémoère d'amour» (SP, p. 15) est suivi, tout de suite après, par le poème au titre normalisé «Sans titre de mémoire» (p. 18). On trouve encore le mot «roche» employé dans un vers avec son sens régional : «Des roches tombent sur ma tête et à mes pieds» (p. 28), et l'équivalent en français standard apparaît dès la page suivante : «Pour déplacer le discours caché sous les pierres.» (p. 29)

Par ailleurs, elle utilise des équivalents de français standard où l'on s'attendrait à trouver de ces emplois régionaux très fortement ancrés dans les habitudes langagières des francophones nord-américains, tellement que le phénomène confine à de l'hypercorrection. Ainsi, lorsqu'elle écrit «Le chien au loin aboie» (p. 18), on est forcé de noter l'emploi du verbe si souvent remplacé par «japper», la distinction entre le cri du petit chien (japper) et celui du chien adulte ou de forte taille (aboyer) s'étant pratiquement perdue. On pourrait formuler le même commentaire à propos de ces calques tellement courants, du genre de ceux qui reviennent inlassablement dans les manuels dits «correctifs», soigneusement évités par l'auteur, tels «des trous de mémoire» (SP, p. 18) (blancs de mémoire), «des bouches d'incendie» (p. 24) (bornes-fontaines), «sous les traverses des rails» (p. 28) (dormants).

Aux fins de cette étude, nous avons groupé par catégorie les particularités de vocabulaire apparaissant dans l'un ou l'autre des titres de notre corpus. Il est bien évident que les écrivains passent outre à ces balises de linguistes et mélangent les catégories plus souvent qu'autrement, tel ce passage tiré de *Gens d'ici* :

Elle [l'histoire] est celle
des bûcheux, draveurs et raftsmen
Gens de forêt, de bois et de rivières
Gens de boxesaws et de haches. (p. 56)

Ce court passage renferme un échantillonnage à peu près complet des éléments exogènes détaillés plus haut, à savoir un canadianisme morphologique (bûcheux), un anglicisme intégré à la morphologie du français au point de figurer dans le titre d'un classique de la littérature québécoise (draveurs) et un autre emprunt ennobli par la chanson, mais demeuré tel quel (raftsmen), un canadianisme de sens greffé sur un mot bien français auquel on a ajouté l'immensité, la vastitude nord-américaine, surtout lorsqu'il est employé au pluriel (bois), et finalement un anglicisme authentique, propre à un corps de métier (boxesaws). En fait il ne manque qu'un représentant du vieux fonds français, et il apparaît quatre vers plus loin : «frette» sous zéro!

La nord-américanité de cet univers francophone s'exprime aussi de façon percutante par l'énumération de toponymes, de marques de commerce, de noms d'artiste de showbiz à l'américaine, un procédé dont Charles Leblanc, Guy Arsenault et Patrice Desbiens ont lartement fait usage dans leurs œuvres, ainsi que nous l'avons déjà montré dans cette analyse évoquée plus haut[9]. Jean Marc Dalpé, imité plus tard par Desbiens[10], utilise le prétexte d'un voyage en train pour faire défiler une série de toponymes intimement liés à l'Ontario français, tellement que leur seule évocation libère des charges émotives intenses chez quiconque aurait une connaissance même superficielle de la géographie de l'Ontario français. L'itinéraire décrit commence à la Chute-à-Blondeau, et se termine à Sault-Ste-Marie en passant par Hawkesbury, Alexandria, Casselman et Ottawa[11] (GI, p. 64). Il a également recours aux marques de commerce[12], reprises presque telles quelles par Patrice Desbiens, particulièrement pour les marques de boisson, tels le «Gin De Kuyper» (MNV, p. 9), la «grosse Mol» (GI, p. 41) ou les «petites Mols» (p. 80). Louise Fiset, quant à elle, évoque l'univers éthylique dans un cocktail de noms de vedettes ou de groupes du showbiz :

> Lil Carter. Crawford. Garbo.
> Jasmine Lee, Orange Tea. Kitty Dee,
> Gangster n' Matador Scotch n' Ice (DTE, p. 21)

Bien qu'il ne s'agisse pas de régionalismes, signalons une autre forme d'écart par rapport au français standard, pratiquée celle-là par les écrivains de toute appartenance : la création personnelle de nouveaux vocables, les idiolectes. Tant Dalpé que Fiset ont recours à ce procédé plutôt parcimonieusement, en se conformant aux règles de la morphologie du français. Ces deux auteurs privilégient la forme verbale, ce qui donne lieu à des trouvailles plutôt audacieuses : «deux êtres [...] se hurlent, s'arc-en-cielent» (EA, p. 6), «je tornade, j'ouragane» (p. 56); «On saute-moutonne» (DTE, p. 13).

CONCLUSION

Cette cohabitation français standard/français régional est utilisée de façon très adroite par Jean Marc Dalpé qui s'en sert, dans ses récits et descriptions, pour reconstituer l'univers où évoluent ses personnages, et qui leur assigne en plus une fonction démarcative. Les guillemets et autres moyens méta-linguistiques sont chez lui d'un emploi rare et les régionalismes jouent le rôle de marqueurs signalant au lecteur que les personnages se faufilent dans la trame narrative, souvent imperceptiblement, sans que l'on puisse repérer de façon sûre la frontière qui permettrait d'identifier les passages en style indirect libre.

Louise Fiset intègre ces éléments exogènes à sa propre palette stylistique et ses textes sont davantage le reflet d'une écrivaine détentrice de deux codes qui s'entremêlent et fusionnent, sans réticence inspirée par un purisme manichéen, à l'image en somme de ces locuteurs qui, dans la vie courante, poussent fréquemment la cohabitation linguistique jusqu'à l'alternance de codes, voire jusqu'à l'interpénétration, la fusion, l'amalgame des idiomes en contact. Le talent de l'écrivaine consiste à pratiquer le translinguistique tout en produisant une œuvre résolument de langue française dont la littérarité est certaine.

On l'aura noté, et la même observation pourrait s'appliquer aux autres auteurs qui s'adonnent à l'hétérolinguisme, il n'y a pas de constance dans cette pratique du métissage linguistique dont nous avons tenté de dresser une liste des différentes combinatoires. En effet, chez un même auteur, le phénomène est rarement continu, tout au plus récurrent, avec des interruptions fréquentes qui vont du paragraphe au titre complet[13], un peu comme pour prouver au lecteur que cette pratique résulte d'un choix délibéré et non pas d'une quelconque indigence sur le plan de l'expression, à la manière du peintre abstrait qui sent le besoin de produire quelques toiles figuratives pour éviter de se faire accuser d'avoir opté pour ce genre de peinture par dépit, à cause d'un manque de talent.

D'autre part, on remarque qu'un bon nombre de ces écrivains adeptes de cette écriture hybride, au fil de leurs publications, ont tendance à prendre leurs distances par rapport à l'hétérolinguisme et à produire des textes de plus en plus standardisés par rapport à la norme du français général; à ce chapitre, Louise Fiset ne fait pas exception, loin de là. Cette orientation est sans doute inspirée par la crainte d'être cataloguée à perpète parmi les écrivains régionaux, par le désir de sortir de son Landerneau et d'aller naviguer dans la haute mer de la francophonie internationale.

Quoi qu'il en soit, si bon nombre de textes produits en situation d'isolat sont à peu près exempts de métissage linguistique, par ailleurs, on ne peut décemment refuser la légitimité littéraire à ceux-là qui renferment des éléments exogènes en quantité plus ou moins considérable, au nom d'une orthodoxie ringarde et vaguement schizophrénique. Mieux encore, il faut voir dans cette pratique une source de renouvellement, ainsi que l'a si éloquemment exprimé Sherry Simon qui voit dans le bilinguisme littéraire «une source d'innovations et d'interférences créatrices[14]», un moyen de déconstruire le figé, la langue étrangère, dans un contexte de «mixité» favorisant l'innovation textuelle[15].

Se pourrait-il qu'émerge une littérature autre de ces aires linguistiques caractérisées par une langue d'écriture dominée par la langue de l'Autre? C'est à cette question que nous avons tenté de répondre par l'affirmative.

Notes

1 Ce nécessaire bilinguisme de la part du lectorat a atteint son point ultime avec la publication du roman «bilingue» de Patrice Desbiens, *L'Homme invisible/The Invisible Man*, Sudbury, Prise de parole/Moonbeam, Penumbra Press, 1981.

2 Nous sommes redevable du mot «hétérolinguisme» à Rainier Grutman, qui l'a utilisé en sous-titre à son ouvrage *Des langues qui résonnent*, Montréal, Fides, 1997.

3 Prise de parole, 1999, 189 p. Ce premier roman a valu à son auteur le Prix du Gouverneur général.

4 Jean Marc Dalpé : *Les Murs de nos villages*, Sudbury, Prise de parole, 1980, 42 p. (MNV); *Gens d'ici*, Sudbury, Prise de parole, 1981, 94 p. (GI); *Et d'ailleurs*, Sudbury, Prise de parole, 1984, 78 p. (EA). Louise Fiset : *404 BCA Driver tout l'été*, Saint-Boniface, Éditions du Blé, 1989, 83 p. (DTE); *Soul pleureur*, Saint-Boniface, Éditions du Blé, 1998, 49 p. (SP).

5 Voir note liminaire, p. 6.

6 À peine une colonne dans le dictionnaire *Le Petit Robert*.

7 Pour plus de détails, voir l'article qui précède.

8 *Le Glossaire du parler français au Canada* (1930) utilise la graphie «barbots».

9 Voir note 7.

10 Voir Patrice Desbiens, *Poèmes anglais*, Sudbury, Prise de parole, 1988, p. 36-37.

11   L'arrêt à Ottawa est illustré par le vers suivant : «l'Ecole Guigues et la table de pool à la salle Ste-Anne», une école et une paroisse qui symbolisent des hauts lieux de la résistance francophone, particulièrement pendant la période du Règlement XVII (1910-1927).

12   À ce sujet, voir William Francis Mackay, «Langue, dialecte et diglossie littéraire», dans *Diglossie et littérature*, s. la dir. d'Henri Giordan et Alain Ricard, Bordeaux-Talence, Maison des sciences de l'homme, 1976, p. 46.

13   Ainsi, Patrice Desbiens qui pratique largement l'hétérogénéité linguistique, une fois installé à Québec, a produit un recueil écrit en un français à peu près standard, *Amour ambulance,* Les Écrits des Forges, 1989. Ce n'est pas son meilleur recueil.

14   Sherry Simon, «*Entre* les langues : *Between* de Christine Brooke-Rose», dans *TTR, Le Festin de Babel/Babel's Feast,* vol. IX, n° 1, 1996, p. 56.

15   Voir Sherry Simon, *Le Trafic des langues,* Montréal, Boréal, 1994, p. 20.

Andrée Lacelle et la critique

L A PROBLÉMATIQUE particulière aux «petites littératures[1]» a suscité, ces dernières années, un regain d'intérêt, les marges ayant attiré l'attention des chercheurs, les schèmes manichéens traditionnels ayant été graduellement délaissés au profit de l'altérité et du métissage. Il est certes approprié d'analyser la production littéraire accomplie en milieux minoritaires dans ses rapports avec l'institution, cette dernière étant différente par la taille et aussi par le rôle qu'elle est appelée à jouer, comparativement aux tâches qu'on lui assigne dans les milieux homogènes sur le plan linguistique.

L'écrivaine franco-ontarienne Andrée Lacelle «a déjà séduit le cœur de l'Institution[2]», pour reprendre la formule utilisée par Annie-Lise Clément dans sa recension de deux de ses œuvres majeures, soit *Tant de vie s'égare* (1994) et *La Voyageuse* (1995). En effet, en plus des textes parus dans des périodiques ou dans des ouvrages collectifs, Andrée Lacelle compte une demi-douzaine de recueils de poésie publiés avec régularité depuis 1979 chez deux éditeurs franco-ontariens, et dont la qualité lui a valu des recensions toutes élogieuses. Elle a été finaliste et lauréate de prix littéraires, dont le prestigieux Prix Trillium décerné en 1995 pour *Tant de vie s'égare*. Nullement casanière, d'un abord agréable, elle a multiplié les apparitions en public, les lectures d'œuvre, non seulement au pays, mais aussi à l'étranger, notamment en France, en Belgique et en Suisse. L'«adoption» par l'institution universitaire a été rendue officielle lorsque le Département des lettres

françaises de l'Université d'Ottawa lui offrit le poste d'écrivaine en résidence au cours du trimestre de l'automne 1996, à
la suite des Hélène Brodeur (1991), Daniel Poliquin (1993) et
Jean Marc Dalpé (1986, 1995); avant Paul Savoie (1997) et
Michel Ouellette (1999).

Étant donné les limites imposées à notre recherche,
nous avons choisi de nous en tenir à la critique, qui, avec
l'enseignement, constitue un pôle essentiel de l'institution
littéraire[3]. Nous nous intéresserons non seulement à la
critique dont Andrée Lacelle a bénéficié, mais aussi à celle
qu'elle a produite elle-même, les conditions étant telles dans
ces milieux minoritaires que les écrivains sont fréquemment
appelés à évaluer les œuvres de leurs pairs, une situation qui
suscite certaines interrogations, ainsi que nous le verrons plus
loin.

ANDRÉE LACELLE FACE À LA CRITIQUE

Le cas d'Andrée Lacelle est particulièrement intéressant, car
nulle part dans son œuvre est-il fait mention de l'Ontario
français. Dans son tout premier titre, *Au soleil du souffle*,
publié chez Prise de parole, en 1979, dans la collection «Les
perce-neige», l'écrivaine utilise des mots qui évoquent un
environnement géopolitique, mais en les assujettissant à des
actants ou déterminants qui les «déterritorialisent» :

> au versant de ma peau j'anime des frontières [...]
> à la province de mon geste, je poursuis vos tambours (p. 41)

Auparavant, dans le même recueil, elle avait délimité l'empla-
cement de la patrie qui alimente son inspiration :

> la Terre au-dedans de moi [...]
> j'obéis à la Terre [...]
> lacs rivières fleuves mers
> font de mon sang histoire ancienne (p. 17)

Nous voilà situés quant à l'espace géolittéraire propre à l'écrivaine et, il est important de le préciser, elle y a été fidèle jusqu'à maintenant. Dans son œuvre, les rares vocables qui, dans leur sens premier, renvoient à l'identité ou à l'appartenance fondées sur l'origine ethnique — tel ce vers du dernier poème d'*Au soleil du souffle* : «je suis fidèle à ma race» (p. 42) — doivent être évalués dans une perspective polysémique, car ils renvoient presque invariablement à l'univers intérieur de l'écrivain, le seul qui l'intéresse vraiment :

> On cherche toujours un lieu qui est fixe. On veut pouvoir dire c'est ma maison, c'est mon territoire, c'est mon pays. Mais ce qui restera toujours, c'est soi, peu importe ce qui arrive[4].

En épigraphe à cette entrevue, Chantal Turcotte a reproduit, en caractères cursifs, le passage suivant tiré de son œuvre : «nos corps sans fuite/enfantent un éclat d'île/avant le pays/il y a nous[5]».

Les critiques n'auront d'autre choix que de mettre au rancart la grille d'analyse réservée aux textes engagés ou à la fonction identitaire obvie, fréquemment associés aux «petites littératures», et d'évaluer la poésie d'Andrée Lacelle pour ses qualités esthétiques, sous l'angle formel. En l'absence de la donne régionaliste, tant sur le plan du fond que de la forme — mis à part les idiolectismes et quelques licences syntaxiques, le français utilisé par l'auteure est rigoureusement standardisé — et compte tenu du caractère quelque peu hermétique de cette poésie dépourvue de linéarité narrative, on sent chez ces derniers une empathie admirative parfois difficile à traduire en une évaluation structurée, donnant plutôt lieu à des commentaires impressionnistes non exempts de répétitions.

Étant donné l'affranchissement syntaxique du vers, on se rabattra sur le mot auquel on fera jouer différents rôles, énoncés sous forme de déterminant, en insistant sur le «triomphe du mot[6]», sur «la clairvoyance des mots[7]», en lui assignant une fonction sujet ou objet, soit que le mot «découvre la pensée» de l'auteure, soit que sa poésie «se nourri[sse] du mot», ou encore en les situant, spatialement, au cœur même de l'effet poétique comparé à un «murmure au cœur des mots[8]».

Quant au caractère intime de sa poésie qui «nous tourne le regard vers l'intérieur[9]», il fera l'objet d'un commentaire ambivalent de la part d'Hédi Bouraoui qui qualifie les poèmes parus sous le titre de *Coïncidences secrètes* (1985) de «repliés sur eux-mêmes[10]», une formule sans doute jugée heureuse puisqu'il la reprendra mot à mot en l'appliquant à *Tant de vie s'égare*, publié presque une décennie plus tard (1994) : «Ce sont toujours des poèmes courts, sans titre, repliés sur eux-mêmes [...][11].»

Anna Gural-Migdal, qui a produit sur *La Vie rouge* (1998) une des recensions les mieux réussies parmi celles qu'on a consacrées à l'œuvre d'Andrée Lacelle, selon le témoignage même de l'écrivaine[12], a structuré son analyse en ayant recours au vocabulaire traditionnellement associé aux textes reflétant une réalité sociopolitique, en soulignant son absence ou sa non-pertinence dans ce recueil : «la langue d'avant les mots, d'avant le pays», «ce temple dont parle Lacelle n'est enraciné nulle part», «l'auteure suggère que nous sommes des apatrides du monde intérieur», «L'Incarnation du désir est un visage sans nom et sans patrie», «l'accession au Vide sacré où l'âme brûle comme un pays[13]». À noter que nulle part dans ce recueil ne trouve-t-on les mots «pays» ou «patrie». Il est symptomatique que l'universitaire ait étoffé son compte rendu en évoquant de façon récurrente la stérilité de la matrice identitaire, tellement on associe d'instinct la production littéraire accomplie en situation d'isolat à des textes inspirés par une réalité socioculturelle dont ils deviennent le reflet.

Andrée Lacelle de l'Ontario, comme Roger Léveillée de l'Ouest canadien dans presque toute son œuvre, ou Serge-

Patrice Thibodeau de l'Acadie dans ses titres les plus récents, n'a nullement besoin de justifier son option littéraire, bien au contraire, car il est rassurant en quelque sorte de constater que certains écrivains de la diaspora française d'Amérique produisent autre chose qu'une littérature-miroir d'une collectivité en s'orientant vers une œuvre dérégionalisée, intemporelle, avec un objectif de perfection formelle. Les deux courants peuvent très bien cohabiter, se métisser; il y va d'une question de variété, de polyvalence et, tout compte fait, de maturité et de richesse.

Cependant, aux yeux de certains, il y a une telle association que j'oserais qualifier de symbiotique entre les «petites littératures» et leur fonction dite identitaire pour ne pas dire utilitaire — la littérature qui aide à se définir, à se comprendre, à prendre conscience de son appartenance à un groupement, et, ultimement, à prouver à soi-même et aux autres qu'on a réussi à tenir en échec le grand silence irréversible, la hantise de toute minorité — qu'Andrée Lacelle, dans sa correspondance avec Herménégilde Chiasson publiée dans le numéro 8 de *Francophonies d'Amérique* (1998), dès la première lettre, pose la question «Qu'en est-il de l'engagement et de l'appartenance?» pour suggérer d'abolir ces «cloisonnements qui ne riment à rien» entre la «littérature d'action» et la «littérature d'imagination[14]». En filigrane, dans son «écriture avant tout pulsionnelle et elliptique», le lecteur attentif découvrira «une quête identitaire aux strates d'interprétations multiples : physique, psychique, cosmique, existentielle, spirituelle, nationaliste, et alouette![15]». Et il y a encore «l'histoire qui se déroule autour de soi» et «l'histoire qui se déroule à l'intérieur de soi». «Pourquoi faudrait-il que l'une exclue l'autre?[16]» Dans sa deuxième lettre, la poète pose à nouveau la question soumise à l'éclairage de la modernité qualifiée de «flux diffus, pluriel, fragmenté et instable» :

> Dans un tel mouvement des choses et de nos vies, le rapport avec nos origines s'avère désormais une invention perpé-

tuelle : c'est ce que j'appelle le parcours oscillant de l'appartenance[17].

À la lecture de ces passages, on se défend mal contre une impression de dédouanement superflu résultant d'une culpabilité non justifiée, mais qu'importe, puisque la démonstration a échappé à la visée de l'auteure en suivant une trajectoire non planifiée pour atteindre finalement un objectif autre : celui de montrer comment le langage poétique, appliqué à l'essai, s'il ne convainc qu'à demi par la rigueur de la démonstration, en revanche, emporte l'adhésion par la qualité et la dynamique suggestive de la formulation. Les trois lettres d'Andrée Lacelle dont on vient d'extraire de courts passages sont *ejusdem farinae* inspirées par une réflexion fine et en profondeur, habillées dans une prose somptueuse empruntée à ses textes poétiques.

ANDRÉE LACELLE, ELLE-MÊME CRITIQUE

L'écrivain qui met sa prose poétique au service de l'essai nous amène à aborder un autre aspect du décloisonnement, ou plutôt de la communalité, résultant de l'exiguïté des milieux littéraires en situation d'isolat. Comme les effectifs y sont peu nombreux, les critiques à temps plein n'y sont pas légion, voire sont inexistants, et en conséquence on fait alors appel aux écrivains eux-mêmes pour évaluer la production de leurs pairs. Cette façon de faire existe aussi dans les «grandes littératures», mais dans les milieux minoritaires, à cause de l'exiguïté des lieux justement, le phénomène revêt un caractère particulier. En effet, les auteurs qui s'évaluent entre eux, non seulement se connaissent très bien, mais sont même entraînés dans des chassés-croisés dont la fréquence est accrue en raison des effectifs réduits, une conjoncture qui rend l'évaluation objective de l'œuvre encore plus problématique.

Précisons tout de suite que nous n'abordons pas ici le cas inverse, fréquent et universel, du professeur de littérature qui met provisoirement entre parenthèses son appartenance à l'institution pour s'adonner aux rimes ou tâter du roman.

Andrée Lacelle, entre 1992 et 1997, a signé une vingtaine de comptes rendus, soit quatre par année en moyenne, presque exclusivement consacrés à la poésie. Depuis, elle a mis un terme à ce genre d'activité.

Il y aurait certes lieu d'analyser les silences dans l'œuvre de cette écrivaine. Elle-même a eu des réflexions comme celle-ci : «il n'y a peut-être que le silence pour exprimer le manque qui consume nos vies[18]». Il est bien évident que le non-dit prend une importance exceptionnelle eu égard au contexte particulier où ces évaluations sont accomplies, à la limite, l'œuvre proposée, jugée médiocre, ayant été carrément écartée pour éviter de blesser une connaissance, un confrère, une amie. Si la recension est publiée, il faudra savoir lire entre les lignes, être à l'affût du moindre indice qui permette de détecter les réserves, les réticences, car il y a de fortes chances que les aspects négatifs aient été édulcorés, sinon carrément gommés.

L'écrivain qui navigue dans les eaux de la critique, qu'on l'y ait poussé ou qu'il ait décidé d'y plonger de son plein gré, doit non seulement ménager les susceptibilités d'auteurs, mais doit encore se comporter en sujet féal, en personne lige de son éditeur et de son écurie, au risque de se voir taxer de félonie par ce dernier qui, en retour, lui infligera le douloureux supplice du manuscrit refusé, à moins qu'il ait atteint une notoriété qui le mette à l'abri de telles représailles, comme c'est le cas pour Andrée Lacelle. Et il y a d'autres intervenants, comme les organisatrices de salons du livre, qu'il ne faut pas malmener, si, d'aventure, elles se mettent, elles aussi, à écrire. Sans parler des retours d'ascenseur devenus inévitables s'il faut évaluer la plus récente publication d'un auteur qui vient de vous offrir l'hommage d'un compte rendu élogieux.

Par exemple, en comparant la liste des recensions dont l'œuvre d'Andrée Lacelle a été l'objet et les comptes rendus qu'elle a à son actif, on repère ce genre de chassé-croisé inévitable quand on s'évalue avec une certaine fréquence entre écrivains d'une région donnée. Voici quelques références qui attestent ce genre de critiques réciproques :

Andrée Lacelle, *La Cosse blanche du temps* d'Évelyne Voldeng (1992), dans *Liaison*, n° 73, sept. 1993, p. 42-43.

«Dans ce recueil, il y a déploiement d'une écriture au travail mesuré, accueillant le mot rare et l'invention pure, et au-delà, de l'image, telle une force ondulante, on croit entendre le bruit du gong et la musique des moines tibétains.» (p. 43)

***

Andrée Lacelle, *Ancres d'encre* de Cécile Cloutier-Wojciechowska (1993), dans *Liaison*, n° 75, janvier 1994, p. 39.

«Cécile Cloutier, esthète et poète, manie avec grâce l'art de capter l'existant, de représenter le prodige, de lui donner densité et beauté.»

***

Jocelyne Felx, *La Voyageuse* d'Andrée Lacelle (1995), dans *Lettres québécoises*, n° 79, 1995, p. 37.

«Andrée Lacelle spécule sur le pouvoir des mots, pare l'anodin de rêves de voyage, [...] À la faveur de

Évelyne Voldeng, *La Voyageuse* d'Andrée Lacelle (1995), dans *Liaison*, n° 83, sept. 1995, p. 42.

«La voyageuse-phare d'Andrée Lacelle s'exprime en une voix épurée et sensuelle [...] où se répondent des échos symboliques et mystiques, et qui s'offre à une lecture plurielle [...].»

***

Cécile Cloutier Wojciechowska, *Tant de vie s'égare* d'Andrée Lacelle (1994), dans *University of Toronto Quarterly*, vol. 65, n° 1, hiver 1995-1996, p. 92-93.

«Ces poèmes approfondissent le réel en passant par l'imaginaire. Ils sont à l'écoute de tout l'écouté du monde. Et l'on peut parler à leur sujet d'alchimie du verbe car les mots vont "de l'autre côté de la lumière".»

***

Andrée Lacelle, *La Pierre et les heures* de Jocelyne Felx (1995), dans *Envol*, vol. IV, n° 1, 1996, p. 42-43.

«Soixante poèmes, soixante actes d'amour. Sous le sceau de la fer-

mots abstraits, les métaphores lèvent le poids des choses et des actes [...].»

veur, ce recueil trace la venue et l'en-aller d'un visage, celui d'une femme, une grand-mère, dans ce coin de la Mauricie.» (p. 42)

Dans ces six recensions, on chercherait en vain un commentaire négatif; on trouve tout au plus des degrés variables d'enthousiasme. La dernière citée, celle qui est consacrée à Jocelyne Felx, est la plus sobre à ce chapitre. Andrée Lacelle fait porter l'essentiel de son texte sur les thèmes abordés et leur répartition dans l'œuvre, pour terminer avec une référence à Gilles Deleuze, un procédé auquel elle a fréquemment recours. On trouve le même contenu uniment louangeur et chaleureux dans deux recensions consacrées à autant de recueils de poésie dont nous a gratifiés la fondatrice et âme dirigeante du Salon du livre de Toronto, Christine Dimitriu van Saanen[19].

Dans la plupart de ses recensions, Andrée Lacelle a recours à l'axe diachronique en prenant soin de faire des rapprochements avec les titres publiés antérieurement par l'auteur évalué. Voilà qui témoigne d'un souci de perfection qu'on aimerait voir généralisé. Par ailleurs, on y trouve évoqués, sinon cités, nombre d'écrivains, essayistes et critiques, un procédé qui présente le double avantage d'étayer sa crédibilité vis-à-vis du lecteur et d'établir une distance avec le sujet traité, le commentaire étant acheminé par réverbération plutôt que directement[20].

Il ne faut pas conclure pour autant que les comptes rendus effectués par Andrée Lacelle sont toujours de facture hagiographique, tant s'en faut, et une telle liberté de pensée est révélatrice de la stature de l'écrivaine et de son renom exceptionnel dans le monde littéraire. Qui plus est, elle ne craint pas de se montrer critique à l'endroit d'auteurs qui figurent aux catalogues de ses propres éditeurs, tel Georges Tissot qui a fait paraître *Le Jour est seul ici* chez Prise de parole[21]. On la sent quelque peu hésitante lorsqu'elle amorce le paragraphe contenant le commentaire négatif par un «Comment dire?» révélateur. Après le recours à la métaphore de la «patine» répartie de façon inégale dans l'ouvrage, vient le reproche exprimé au premier degré :

> [...] l'emploi apoétique, voulu ou non, de vocables et d'images de faible résonance crée ici et là un effet de décalage décevant qui laisse d'autant perplexe en raison du fond tragique qui domine. Mais passons, puisque par ailleurs, ce texte nous réserve des moments émouvants [...][22].

On le voit, la période nuageuse a été de courte durée et l'embellie survient peu après, ponctuée, on dirait, par un soupir de soulagement...

Les reproches, le cas échéant, sont presque toujours coussinés par une image, par une métaphore, de manière à en atténuer les répercussions, tel ce passage extrait de la recension d'*On entend toujours la mer* d'Odette Parisien[23], une publication, là encore, de Prise de parole : «*On entend toujours la mer* livre en gisements raréfiés, des états de vie invitant au recueillement. [...] dans une forme ciselée à l'excès, si l'on peut dire [...][24].» La note de métalangue, «si l'on peut dire», trahit une fois de plus l'embarras de la critique.

Le procédé de l'image devient parfois omniprésent, à un point tel que la stylistique poétique supplante le discours rationnel de l'évaluation, quitte à brouiller le message, à rendre le contenu évaluatif moins précis, encore là pour camoufler certaines réserves croirait-on, puisqu'on discerne souvent un discret bémol à la clef. Ainsi, dans son compte rendu d'*Envers le jour* de Margaret Michèle Cook[25], elle a recours à des formules comme celles-ci :

> Et le geste créateur prend forme fugace dans le tarissement improbable de sa source. [...] Beaucoup de dissonances dans cette écriture émaillée de trouvailles pleines d'absence [...]. Solitude solaire, moments d'aube et paix floconneuses[26].

Cela dit, la métaphore étant une arme à double tranchant, il peut arriver qu'elle serve à rendre encore plus percutant le commentaire négatif, tel ce passage extrait du compte rendu de *Machines imaginaires* de Marcel Labine, publié aux Herbes rouges[27] :

> [...] un long texte avec quelques moments poétiques, un flot énumératif aux images souvent prévisibles [...]. Un texte qui suscite une lecture compulsive et donne envie de déglinguer la manivelle qui saurait arrêter ce débordement à certains égards excédant[28].

Andrée Lacelle prend soin de mentionner à la fin de son compte rendu que Marcel Labine avait été lauréat du Prix du Gouverneur général en 1988. À preuve que les prix et distinctions ne constituent pas toujours une garantie de recension élogieuse, et le cas n'est pas unique[29].

Soit dit en passant, il est de bonne guerre que les éditeurs se servent des prix et distinctions accordés à un auteur pour mousser leurs ventes de livres. La façon la plus courante consiste à faire imprimer un bandeau destiné à agrémenter le bas de la première de couverture, généralement avec des caractères blancs sur fond rouge, façon Gallimard, de manière à attirer l'attention du client sur le titre primé. La tactique a cependant un impact autre lorsque l'éditeur fait paraître un placard publicitaire au beau milieu d'une critique consacrée à l'ouvrage couronné, avec la liste des prix obtenus et de courts extraits d'évaluation forcément dithyrambiques, comme ce fut le cas pour le compte rendu consacré à *Tant de vie s'égare* paru dans *Zone Outaouais* de juin 1995[30]. Ce faisant, l'éditeur, par cette astuce, ravale le texte d'Annie-Lise Clément au niveau d'un publi-reportage, quelle qu'en soit la teneur. Il y a de ces distances qu'il faut savoir garder.

Finalement, on peut se demander si les écrivains qui s'adonnent à la critique de leurs pairs ne vont pas parfois au-delà de cette empathie qui leur fait instrospecter l'œuvre, la comprendre de l'intérieur, forts de cette vision pénétrante octroyée par l'acte de la création littéraire, contrairement aux critiques à temps plein qui se contentent d'examiner et d'évaluer de l'extérieur. Ainsi, on observe chez Andrée Lacelle une tendance à la réappropriation des schèmes analytiques utilisés par les critiques pour sa production personnelle, lorsqu'elle les applique à l'œuvre évaluée. Par exemple, on retrouve dans ses analyses des relents de cette thématique axée sur le mot ainsi que le concept de l'univers intérieur plutôt que spatio-temporel. À propos d'Odette Parisien, elle souligne sa «vigie constante quant à la valeur du mot[31]», alors que chez Margaret Michèle Cook, «le mot est site et paysage[32]», pendant qu'Évelyne Voldeng, dans *La Cosse blanche du temps*[33], «cultive à l'occasion le mot rare[34]» et que Serge Ouaknine, dans ses *Poèmes désorientés*[35], provoque la «migration des mots en exil d'un sens plein[36]».

Par ailleurs, dans l'*Échographie du Nord* de Mario Thériault[37], auteur présenté comme un «poète migrateur» — la métonymie de la migration du mot est abolie — Andrée Lacelle croit déceler une «démarche où le rêve absent et l'évidence vécue du transitoire modulent la connaissance de soi[38]». Connaissance de soi, de son monde intérieur qui deviendra le lieu d'appréciation des poèmes de Cécile Cloutier publiés dans le recueil *Ancres d'encre*[39]. Soit dit en passant, pour illustrer son propos, Andrée Lacelle croit citer le poème éponyme publié presque trente ans auparavant, en 1964, dans *Cuivre et soie*, mais, distraction de la critique, elle cite une strophe du poème «Cathédrale» (p. 12), alors que «Ancres d'encre», à la page précédente, se lit comme suit :

ANCRES D'ENCRE
Blanc
Le galop
Des chevaux
Blonds Aux dunes de paroles
Bleue

L'Écriture
Des chevaux
Blés
Sur le papier du sable
Je vous immole mes chevaux d'encre (p. 11)[40]

Et la critique d'enchaîner : «Pour séjourner en ces poèmes-îlots, il faut d'abord, pour les repérer, savoir voler, et ensuite, dans une calme lucidité, y atterrir au centre de soi-même[41].» Il est plus facile d'accueillir dans son moi profond ce genre de poème quand l'exploration de l'univers intérieur est la caractéristique première de sa propre poésie, car il n'est pas sûr que, pour le commun des mortels, ce soit le lieu privilégié pour apprécier et goûter ces miniatures finement travaillées avec une remarquable économie de moyens et dont Cécile Cloutier a le secret. On aurait pu poursuivre dans cette même voie avec le thème du silence.

CONCLUSION

L'institution littéraire doit être adaptée aux conditions particulières où sont élaborées ces littératures régionales. Édition, diffusion, enseignement et critique y sont généralement déficients, et une façon de suppléer à ces carences consiste à promouvoir des opérations de désenclavement et de maillage[42].

Intensifier l'enseignement et la critique dans sa région : il faut commencer par là. Exporter sa production littéraire hors Landerneau et la soumettre à un regard autre, c'est l'étape suivante. L'approche comparatiste découlera tout naturellement d'une telle opération, et ce sont les études littéraires qui s'en trouveront renouvelées et dynamisées. Se regarder, s'intéresser; s'exporter, se comparer.

L'Amérique française, pour reprendre cette belle appellation auréolée du mythe fondateur, constitue un immense laboratoire où se pratiquent tous les genres littéraires, avec des préoccupations identitaires qui vont de la quasi-obsession jusqu'à l'indifférence avoisinant le degré zéro, l'écriture elle-même oscillant entre le français parfaitement normalisé et le métissage plus ou moins prononcé avec les régionalismes et l'anglais omniprésent. Pour prendre la mesure du phénomène, il faut s'intéresser à la production des autres régions de cette vaste francophonie, à la périphérie effrangée, pour ne pas dire effilochée, avec des zones parfois carrément trouées, mais globalement d'une incroyable richesse fondée sur la diversité et la polymorphie, avec de nombreux points de convergence qui assurent la cohésion de l'ensemble.

Andrée Lacelle, au cours de l'année 1997, a correspondu avec Herménégilde Chiasson sur des questions de littérature, une correspondance reproduite au complet dans la revue *Francophonies d'Amérique*[43], l'année suivante. Il en a résulté des pages inspirées et éclairantes pour qui s'intéresse à l'élaboration des petites littératures. Autant une trop grande proximité par rapport à l'œuvre évaluée nous a fait nous interroger sur le rôle de critique joué par certains écrivains, autant l'éloignement géographique et jusqu'à un certain point idéologique a permis à ces deux auteurs d'engager un dialogue fructueux et éclairant. Le geste accompli par Andrée Lacelle et Herménégilde Chiasson prend ainsi une valeur emblématique et constitue pour nous un signe des temps.

Notes

Recueils de poésie publiés par Andrée Lacelle et utilisés dans le cadre de cet article : *Au soleil du souffle*, Sudbury, Prise de parole, 1978, 42 p.; *Coïncidences secrètes*, Ottawa, Éditions du Vermillon, 1985, 20 feuillets, incluant quatre dessins pleine page de Denise Bloomfield; *Tant de vie s'égare*, Ottawa, Éditions du Vermillon, 1994, 91 p.; *La Voyageuse*, Sudbury, Prise de parole, 1995, 78 p., incluant une suite photographique de Marie-Jeanne Musiol; *La Vie rouge*, Ottawa, Éditions du Vermillon, 1998, 83 p., incluant sept huiles sur papier de Cyrill Bonnes.

1. L'expression a été popularisée par François Paré dans son ouvrage *Les Littératures de l'exiguïté*, Ottawa, Le Nordir, 1992, 175 p.
2. Annie-Lise Clément, «La finesse d'un cri cristallin», dans *Zone Outaouais*, juin 1995, p. 19.
3. Voir François Paré, *op. cit.*, p. 43-44.
4. Chantal Turcotte, «En quête d'une parole vraie», dans *Zone Outaouais*, oct. 1998, p. 1.
5. *Ibid.*
6. Paul Gay, sur *Au soleil du souffle*, dans *LeDroit*, 24 août 1979, p. 21.
7. Annie-Lise Clément, sur *Tant de vie s'égare*, «Des poèmes à lire comme on aime la vie», dans *La Rotonde*, 20-26 mars 1995, p. 12.
8. Anna Gural-Migdal, sur *La Vie rouge*, dans *Francophonies d'Amérique*, n° 9, p. 217-221, *passim*.
9. Chantal Turcotte, à propos de *La Vie rouge*, art. cité.
10. Hédi Bouraoui, sur *Coïncidences secrètes*, dans *Liaison*, printemps 1986, p. 61.
11. Hédi Bouraoui, sur *Tant de vie s'égare*, *Envol*, n°s 1-2, 1995, p. 86.
12. Andrée Lacelle, ayant apprécié la justesse et la pertinence de la critique, a communiqué avec la revue afin d'obtenir les coordonnées d'Anna Gural-Migdal pour lui écrire et lui faire part de son appréciation.
13. Anna Gural-Migdal, art. cité, *passim*.
14. «Portraits d'auteurs : Andrée Lacelle de l'Ontario et Herménégilde Chiasson de l'Acadie», dans *Francophonies d'Amérique*, n° 8, 1998, p. 167.
15. *Ibid.*
16. *Ibid.*, p. 166.
17. *Ibid.*, p. 175.
18. *Ibid.*, p. 174.

19 Voir Andrée Lacelle, sur *Poèmes pour l'univers* de Christine Dumitriu van Saanen (1993), dans *Liaison*, mars 1994, p. 37; sur *Sablier* (1996), dans *Envol*, vol. V, n°s 1-2, 1997, p. 98-99.

20 Rares sont les recensions faites par Andrée Lacelle où il ne se trouve pas au moins une citation d'un auteur connu, toutes disciplines confondues, tels Baudrillard, Camus, Deleuze, Eliade, Heidegger, Michaux, Nietzsche, Ponge, Reeves, Rilke et Virilio.

21 Georges Tissot, *Le Jour est seul ici*, Sudbury, Prise de parole, 1993, 48 p.

22 Andrée Lacelle, sur *Le Jour est seul ici* de Georges Tissot (1993), dans *Liaison*, sept. 1993, p. 43.

23 Odette Parisien, *On entend toujours la mer*, Sudbury, Prise de parole, 1993, 111 p.

24 Andrée Lacelle, sur *On entend toujours la mer* d'Odette Parisien (1993), «Lieux d'érosion et solitude», dans *Liaison*, mai 1994, p. 42-43.

25 Margaret Michèle Cook, *Envers le jour*, Ottawa, Le Nordir, 1993, 78 p.

26 Andrée Lacelle, sur *Envers le jour* de Margaret Michèle Cook (1993), «Une écriture émaillée de trouvailles», dans *Liaison*, mai 1994, p. 43.

27 Marcel Labine, *Machines imaginaires*, Montréal, Les Herbes rouges, 1993, 62 p.

28 Andrée Lacelle, sur *Machines imaginaires* de Marcel Labine (1993), dans *Envol*, été 1994, p. 46-47.

29 C'est à Pierre Karch que revient le titre d'iconoclaste par excellence d'un prix littéraire depuis sa critique vitriolique de la pièce *French Town* (1994) qui a valu à Michel Ouellette le Prix du Gouverneur général, recension parue dans *Francophonies d'Amérique*, n° 5, 1995, p. 91-92.

30 La critique d'Annie-Lise Clément (p. 19) porte sur deux titres d'Andrée Lacelle, *La Voyageuse* et *Tant de vie s'égare* publiés respectivement par Prise de parole et les Éditions du Vermillon. Seule cette dernière maison a profité de l'occasion pour mousser la publicité de son recueil de poésie malencontreusement attribué à Prise de parole dans la référence bibliographique du début de l'article.

31 Andrée Lacelle, sur *On entend toujours la mer*, art cité.

32 Andrée Lacelle, sur *Envers le jour*, art. cité.

33 Évelyne Voldeng, *La Cosse blanche du temps*, Mortemart, Éditions Rougerie, 1992. 33 p.

34 Andrée Lacelle, sur *La Cosse blanche du temps* d'Évelyne Voldeng (1992), dans *Liaison*, sept. 1993, p. 43.

35   Serge Ouaknine, *Poèmes désorientés*, Montréal, Les Éditions du Noroît, 1993, 94 p.

36   Andrée Lacelle, sur *Poèmes désorientés* de Serge Ouaknine (1993), dans *Envol*, hiver 1994, p. 64.

37   Mario Thériault, *Échographie du Nord*, Moncton, Les Éditions Perce-Neige, 1992, 48 p.

38   Andrée Lacelle, sur *Échographie du Nord* de Mario Thériault (1992), dans *Liaison*, sept. 1993, p. 42.

39   Cécile Cloutier-Wojciechowska, *Ancres d'encre*, Ottawa, Les Éditions du Vermillon, 1993, 136 p.

40   L'extrait cité par Andrée Lacelle s'intitule en fait «Cathédrale» et ce titre, à lui seul, explique la teneur du passage reproduit : Être/ L'horizon/Rond/Du premier matin/Et en tirer l'arc roman/ Premier», *Cuivre et soies*, Montréal, Les Éditions du Jour, 1964, p. 12.

41   Andrée Lacelle, sur *Ancres d'encre* (1993), dans *Liaison*, janv. 1994, p. 39.

42   Ces deux mots reviennent à la façon d'un leitmotiv dans le texte de présentation du numéro 8 de *Francophonies d'Amérique* (1988) auquel on a donné une orientation nettement comparatiste. Voir Jules Tessier, «Se comparer pour se désenclaver», p. 1-4.

43   Voir note 14.

Le mythe et la fonction identitaire
dans les littératures d'expression française
en Amérique du Nord

D ES TOUT PREMIERS TEXTES des découvreurs jusqu'au roman qui vient de paraître, la fonction mythique de la littérature ne cesse de s'exercer, avec des modalités différentes, selon les époques, les genres et les préférences des écrivains qui participent à son élaboration. Le mythe revêt une importance particulière dans le cas des littératures régionales, surtout pour celles qui s'édifient dans un contexte de langue dominée, comme c'est le cas pour les littératures d'expression française hors Québec en Amérique. La crainte d'un refroidissement culturel, d'un silence irréversible, exacerbe le rôle identitaire de la littérature et confère à son aspect mythique une dimension ontologique.

Nous essaierons donc d'évaluer le rôle du mythe dans les littératures francophones d'Amérique, en prenant en compte des variables spatio-temporelles, c'est-à-dire depuis les textes des découvreurs et explorateurs jusqu'à la production contemporaine, sans négliger les rapports de force qui règlent les relations entre le Québec et les autres régions du continent, et aussi avec les Francais qui ont fait leur part pour fabriquer et exporter le mythe du Nouveau Monde dans leurs textes.

LES DOCUMENTS ET RÉCITS HISTORIQUES

Les peuples issus d'une entreprise coloniale accordent une importance particulière aux tout premiers textes des découvreurs et explorateurs, documents qui ont une double fonction antynomique, à savoir authentifier la filiation entre la métropole et la colonie tout en marquant la rupture entre les deux, à tout le moins la naissance d'un surgeon qui, ultimement et idéalement, deviendra autonome par rapport à la souche dont il est issu. En somme, des textes, comme ceux des découvreurs et explorateurs Cartier et Champlain, constituent l'acte de naissance d'une littérature.

Tout en se défendant de privilégier les «Relations de voyages de Cartier» à cause du «caractère sacré qu'elles ont pour nous d'une sorte de Genèse», on se doute bien que si Félix-Antoine Savard s'y arrête longuement dans *L'Abatis*, c'est qu'il y voit un incipit mythique, le tout début d'une cosmogonie[1]. La fonction identitaire d'un tel document est inaltérable; aussi ne faut-il pas s'étonner si, plus près de nous, Jacques Poulin a recours lui aussi au texte de Cartier, dans *Volkswagen Blues*, pour donner le coup d'envoi à cette interminable expédition entreprise par Jack Waterman (accompagné de la Grande Sauterelle) pour retrouver son frère Théo, dont il a perdu la trace depuis plusieurs années. Par ce moyen, le romancier met le lecteur sur la piste et lui signifie que cette odyssée revêt une signification symbolique, s'apparente aux expéditions des premiers découvreurs et que la recherche du frère prend une dimension collective culturelle identitaire. On sait la réponse que Jack obtient de Théo quand il le retrouve enfin à San Francisco : «I don't know you[2]», une réplique qui provoque le même effet dramatique tétanisant que ce fameux «That man», utilisé par le petit-fils d'Euchariste Moisan, à White Falls, aux États-Unis, pour désigner son grand-père, dans le roman *Trente Arpents* de Ringuet[3].

Ces textes fournissent encore des données de nature ethnologique, tel *Le Grand Voyage au pays des Hurons* du frère Gabriel Sagard[4], ou linguistique, le créneau privilégié par Félix-Antoine Savard pour faire l'apologie des «Relations de voyages de Cartier». D'ailleurs, certains de ces textes anciens portent exclusivement sur la langue, telle la fameuse compilation du père jésuite Pierre Philippe Potier dont notre collègue Peter Halford, de l'Université de Windsor, a fait paraître une version intégrale et définitive, accompagnée d'une analyse inattaquable[5].

Il est cependant un aspect de ces textes qui est négligé, plus souvent qu'autrement, et c'est la dimension proprement littéraire, évaluée à l'aune esthétique. Puisque les chercheurs y retournent surtout pour aller y puiser des données historiques, ils n'attachent que peu d'importance à la forme, voire pas du tout. Il faut dire que tous ces documents ne sont pas des réussites sur le plan stylistique, mais quoi qu'il en soit, s'il est une région qui a été choyée par des visiteurs et administrateurs soucieux de produire des textes d'une haute tenue littéraire, c'est l'Acadie. Non seulement grâce à Marc Lescarbot, le père de la dramaturgie au Nouveau Monde, comme chacun le sait, mais aussi grâce à deux Français au talent littéraire exceptionnel, de Diéreville et Robert Challes. Le premier ne passa qu'environ un an en Acadie, en 1700, mais il publia, à son retour en France, une *Relation d'un voyage* (1708) où alternent la prose et les vers, pour le plus grand plaisir du lecteur. Quant à Robert Challes, il a écrit ses *Rapports sur l'Acadie* (1682-1686), et a laissé des *Mémoires*, une volumineuse correspondance, autant de textes qui viennent de faire l'objet d'une monumentale édition critique par Frédéric Deloffre. Deloffre se plaît à souligner la valeur littéraire des textes de Challes, particulièrement son «talent de narrateur», ses qualités de «conteur-né[6]».

La constitution du mythe, par qui et pourquoi?

Si les textes des débuts ont une valeur officialisante pour établir les fondements d'une littérature, à mesure que la trame historique s'allonge, avec le concours des littéraires — la tradition orale peut aussi remplir cette fonction — s'opérera peu à peu une transposition caractérisée par un enrobage mythique. Pour les francophones d'Amérique, qui n'ont été choyés ni par l'histoire ni par le sort — la dernière victoire militaire française sur le continent remonte à 1760... —, cette aura mythique est à son mieux lorsqu'elle s'applique à des événements malheureux, parfois même tragiques, comme la Déportation des Acadiens ou la rébellion des Métis de l'Ouest canadien, sous la direction de leur chef, Louis Riel. Des persécutions ouvertes déclenchées contre les francophones viendront étoffer le sentiment d'appartenance, comme le Règlement XVII en Ontario qui a virtuellement mis le français hors la loi dans les écoles, de 1910 à 1927. On pourra aussi avoir recours à la transposition mythique pour propager certaines idéologies, comme celle du retour à la terre par l'occupation du territoire non encore défriché, ou tout simplement pour satisfaire le goût d'exotisme d'un lectorat étranger, en lui faisant parcourir les steppes glacées du Grand Nord, ou en l'introduisant dans une cabane au Canada; cette imagerie est indestructible, malgré son apparente fragilité.

Il est plus facile, pour les observateurs de l'extérieur, de subodorer les premiers la présence d'éléments «mythisables» lorsqu'il s'agit d'événements malheureux ou tragiques. Ceux-là qui sont victimes de ces mauvais coups assenés sans ménagement pour les anéantir ont besoin de toutes leurs énergies pour résister au plus fort de la tempête, et après coup, ils en ressortent meurtris, désorganisés; à supposer qu'il aient le recul nécessaire pour évaluer la grandeur de la calamité qui a failli les faire disparaître, il leur manque souvent les moyens d'exploiter ce filon, occupés qu'ils sont à panser leurs plaies, à se réorganiser.

C'est ainsi que l'abbé Groulx, au plus fort de la crise du Règlement XVII, a fait paraître *L'Appel de la race*[7] en 1922, ayant évalué à sa juste mesure, en sa qualité d'historien, l'ampleur de la crise que traversait alors la communauté franco-ontarienne, en fait l'événement le plus dramatique, sur le plan de la préservation de son identité, jamais vécu par l'Ontario français. Sauf qu'Alonié de Lestres a utilisé cette crise majeure comme fond de scène pour illustrer une théorie, à savoir les méfaits de toute nature occasionnés par les mariages exogamiques. Jules de Lantagnac, le personnage central du roman, inspiré du vrai Napoléon Antoine Belcourt qui s'est porté avec courage à la défense des siens, a davantage de problèmes avec son épouse, l'Irlandaise Maud Fletcher, qu'avec tous les orangistes de l'Ontario. Le roman se termine d'ailleurs sur une douloureuse séparation conjugale, avec deux de ses enfants qui suivent le père sur la voie de la refrancisation — des «francogènes» avant la lettre — et deux autres qui vont du côté de la mère, satisfaits de leur statut d'anglicisés.

Ayant connu un certain succès avec ce premier roman, l'historien récidivera avec un second roman, *Au cap Blomidon*[8], publié en 1932, et découlant de l'événement tragique par excellence, celui de la Déportation des Acadiens, le drame sans doute le plus mythifié de toute notre histoire, parce qu'on retrouve dans cette entreprise de «nettoyage ethnique» tous les éléments dramatiques nécessaires pour émouvoir et idéaliser, ce qu'a su détecter le poète américain Henry Wadsworth Longfellow, l'auteur du long poème *Evangeline*[9], paru en 1847. Après Longfellow et avant Groulx, un auteur lui aussi extérieur à l'Acadie, a exploité la Déportation pour en faire un roman : Napoléon Bourassa qui a fait paraître *Jacques et Marie*[10] en 1865.

Contrairement à Groulx, qui situe l'action de son roman en 1925 et utilise la fiction pour raconter une reconquête du vieux domaine ancestral par un jeune Acadien courageux et matois, avec de fréquents rappels de la Déportation, rapportée fidèlement ainsi que le précise l'auteur dans une note finale attestant que tous les faits liés au passé des Acadiens et au «Grand Dérangement» «sont rigoureusement historiques[11]», Bourassa paraphrase l'histoire en dépeignant, avec la palette colorée en vogue à l'époque, les événements tragiques qui vont culminer avec le rassemblement dans l'église de Grand-Pré, l'embarquement sur des bateaux de fortune, pendant que les fermes et villages sont mis à feu et à sac. Bourassa imagine un triangle amoureux et donne un rival à Jacques Hébert en la personne d'un lieutenant britannique, George Gordon, amoureux lui aussi de Marie Landry. C'est ainsi que le lieutenant se retrouve dans une situation cornélienne et est contraint de choisir entre son devoir de bourreau et ses sentiments pour Marie. Soit dit en passant, pour donner plus de vraisemblance à son récit, Bourassa prend soin de préciser que le lieutenant Gordon «[ayant] fait un assez long séjour dans les collèges de Paris», «parlait donc le français comme sa propre langue» (p. 63), mais le dialogue avec Marie pouvait tout aussi bien se faire en anglais, puisque l'oncle de cette dernière, notaire à Grand-Pré, «partisan et l'ami des Anglais, lui avait fait apprendre un peu de la langue des conquérants qu'il jugeait nécessaire aux habitants dans les conditions où se trouvait le pays» (p. 64).

Ces libertés vont de soi quand on fabrique un roman, surtout si elles servent à corser l'intrigue, et personne ne peut y trouver à redire. Mais là où les choses se gâtent pour ce qui est de la dimension mythique, c'est lorsque Bourassa décide de clore son récit par un «happy ending», le pire qui se puisse imaginer pour le renouvellement de la légende, une fin digne des romans Harlequin, soit le mariage de Jacques et de Marie. Même les romans Harlequin ne résistent pas à ce genre de couperet et les écrivaines à contrat qui les produisent reçoivent toutes la même consigne : une fois le mariage décidé entre vos protagonistes, éteignez vos traitements de texte et interrompez le récit, sinon le risque est trop fort de voir s'effilocher l'aura romantique tissée habilement jusque-là.

Longfellow, astucieusement, a évité pareil dénouement, et eût-il opté pour le mariage heureux d'Evangéline et de Gabriel sur les rives du bayou Tèche, il y a fort à parier que le mythe d'Evangéline n'aurait jamais atteint un sommet aussi vertigineux, ni non plus joui d'une telle pérennité. Par ailleurs, il faut savoir gré au poète de s'être arrangé pour provoquer une rencontre in extremis entre les deux personnages, de façon à satisfaire une attente chez le lecteur, et mieux encore, d'en faire mourir un, de manière à nous protéger d'une initiative d'écrivain qui, tôt ou tard, aurait eu pour effet de nous affliger d'un «Evangeline, part two», comme on l'a fait pour Maria Chapdelaine[12].

L'art, dans le domaine, consiste à satisfaire une certaine curiosité chez le lecteur, mais à ne pas clore le récit d'une façon irrémédiable, ce qui empêchera la perpétuation, la prolongation du mythe. On cite continuellement le début du long poème de Longfellow, «C'est l'antique forêt», mais plus rarement la fin :

> C'est l'antique forêt... [...]/On entend murmurer un étrange idiome,/On voit hélas! les fils d'un étranger!.../Seulement, près des rocs que le flot vient ronger,/Le long des bords déserts du brumeux Atlantique,/On voit de place en place, un paysan rustique. C'est un Acadien, dont le pieux aïeul/Ne voulut pas avoir autrefois pour linceul,/La terre de l'exil. Il vint en bravant le maître,/Mourir aux lieux aimés où Dieu l'avait fait naître[13].

La mortaise était prête, et pour compléter l'ajointement, Antonine Maillet a fabriqué le tenon avec le roman *Pélagie-la-Charrette*[14], publié en 1979, et qui lui a valu le Prix Goncourt la même année. Le diptyque est enfin complété, avec un second volet, articulé sur le premier, mais avec un relief opposé, comme les deux parties d'un moule qui deviendra, à ce moment-là, pleinement matriciel, avec un envers victime et un avers triomphant.

Pélagie, c'est l'envers d'Evangéline, avec une inversion des données et des couleurs, comme lorsqu'on passe du négatif à l'instantané, lors du développement d'une photographie. Non seulement fait-elle route dans l'autre direction,

vers l'Acadie originelle, mais plutôt que d'être le jouet des
événements, elle a une telle force de caractère, qu'elle les
infléchit, et le peuple à la dérive tel que décrit par Longfellow
accomplit lui aussi la démarche inverse et se rassemble dans le
sillage de la charrette. Antonine Maillet donne à son roman
un souffle épique, et ce peuple en marche sous la gouverne de
la matriarche Pélagie revêt une dimension mythique
comparable à la grande marche qui permit aux Hébreux de
retourner dans leur patrie, guidés par Moïse.

Astucieuse, Antonine Maillet l'est tout autant que
Longfellow, et elle se garde bien de prolonger son récit une
fois son peuple arrivé au seuil de la Terre promise. Après un
arrêt incontournable à Grand-Pré, la charrette s'embourbe
dans les marais de Tintamarre, Pélagie meurt et est ensevelie.
C'est sa fille, Madeleine LeBlanc, qui abat le premier arbre,
dans la vallée de Memramcook, et la romancière, dans son
épilogue, fait elle-même le lien avec la fameuse Convention de
1880, année où «l'Acadie sort[it] sur son devant-de-porte
pour renifler le temps et s'émoyer de la parenté[15]». Mission
accomplie, l'histoire prend le relais. Plus tard, cette discipline
scientifique, à nouveau, partagera l'espace avec le mythe
lorsque viendra le moment de chanter ce haut lieu de la
Renaissance acadienne, déserté au profit de Moncton, et que
la nostalgie d'une époque révolue aura préparé le terrain pour
l'éclosion d'une vision, d'une perception transposées.

LE MYTHE QU'IL FAUT FAIRE SOI-MÊME

On l'a vu avec le cas de l'Acadie, les apports de l'extérieur à
l'élaboration d'un mythe peuvent être fort utiles et il serait
même insensé de ne pas en profiter, surtout quand le travail a
été bien fait. Cela dit, pareille entreprise ne peut être confiée
totalement à des gens de l'extérieur qui s'amènent avec leurs
valeurs, leur vision propre, lesquelles ne concordent jamais
tout à fait avec celles des gens du milieu, et projettent, de ce

fait, un portrait où ces derniers se reconnaissent plus ou moins, un miroir qui leur renvoie une image qui n'est pas tout à fait la leur, et qui est parfois carrément autre. Les écrivains québécois auxquels nous venons de faire allusion, Groulx et Bourassa, issus d'une communauté francophone homogène, où l'altérité de la communauté anglophone est exacerbée, ont une perception de l'anglais et des Anglais qui manque d'aménité, ce qui les amène à décrire ces derniers d'une façon manichéenne, en les présentant comme laids, au mieux fades, alors que les Canadiens français sont invariablement dépeints de façon avantageuse, autant les musculaires que les intellos. Voyons comment Groulx présente les deux cousins, d'origine acadienne, venus du Québec pour reconquérir la terre de leurs ancêtres en Acadie même. Le premier, Paul Comeau, vient assister, avec ses bras solides, l'artisan et le planificateur de cette reconquête, Jean Bérubé dit Pellerin qui, lui, a poursuivi des études prolongées :

> Chevelure noire, teint presque basané, il portait aux mains et au cou le hâle luisant des hommes des terres neuves, brûlés par les flambées des grands abatis. [...] Grand et fort comme l'arbre poussé en pleine montagne, Paul Comeau incarnait surtout la force musculaire, la vigueur osseuse et charnue. Aussi grand, mais plus mince et plus pâle, Jean Bérubé révélait des formes plus humaines. Un profil fin et pur, une chevelure blonde et bouclée qu'il portait haute, et qui lui haussait le front, mais surtout le dessin net du nez et de la bouche, des yeux clairs et décidés, et je ne sais quoi d'expressif et d'arrêté dans tous les traits lui composaient une figure originale. On y lisait la trace des puissantes hérédités, celles qui sculptent en lignes classiques les visages humains et font d'un homme le type et comme le résumé de sa race[16].

Voyons maintenant comment l'historien-romancier dépeint l'héritier Finlay et sa mère, les occupants de la terre ancestrale des Pellerin que les deux premiers espèrent bien déloger pour récupérer le vieux patrimoine :

Allan boit lentement son café. Après chaque gorgée, il hisse au-dessus de sa tasse blanche sa figure ravagée, veinée de rouge et de bleu comme une carte routière. On dirait un buveur en perpétuel dégrisé. Petit-fils et arrière-petit-fils de Finlay qui ont bu le scotch et le whisky comme de l'eau, le malheureux porte toutes les tares de l'hérédo-alcoolique. Ce matin, il regarde fixement devant lui, ne répond que par des monosyllabes à sa mère, vieille dame longue et sèche, de teint encore plus pâle que ses tresses de cheveux blancs. N'ayant jamais elle-même qu'une conversation monosyllabique, le laconisme de son fils ne paraît nullement l'ennuyer. Elle le regarde, ce fils, ainsi qu'elle regarde toutes choses, de ses yeux ronds et morts, qu'elle déplace lentement, d'un mouvement uniforme, comme une lunette d'opéra[17].

Alonié de Lestres éprouve certaines difficultés à présenter les Anglaises sous un jour favorable, et l'image qu'il nous transmet de Maud Fletcher, la femme de Jules de Lantagnac, dans son premier roman, est à peine plus flatteuse :

Si la ligne trop droite du front, les lèvres trop tirées et trop minces mettaient à cette figure un dur accent d'opiniâtreté, en revanche les cils trops baissés et trop mobiles trahissaient promptement la moindre tristesse[18].

Mais s'il en est un qui a poussé pareille vision manichéenne jusqu'à la limite caricaturale, c'est bien Joseph-Marc Lebel, qui a émigré en Saskatchewan à l'âge de 29 ans et a publié là-bas au-delà d'une trentaine de romans, dont le premier, *La Métisse*[19], en 1923, sous le pseudonyme de Jean Féron. Les personnages y sont divisés en deux clans : les francophones catholiques beaux, propres, doux, consciencieux; les anglophones protestants laids, à l'hygiène douteuse, fourbes, ivrognes et violents, d'authentiques tarés!

La langue anglaise est aussi l'objet de critiques, et pour s'en convaincre, il suffit d'entendre les paroles que Napoléon Bourassa met dans la bouche des commères de Grand-Pré qui ne prisent guère le fait que l'oncle ait mis «de l'anglais à la langue» de sa nièce :

> – Quand on pense que le vieux LeBlanc a voulu éduquer sa nièce dans ce baringouin-là!... Non, non, tout ça, entends-tu, voisine, c'est bon pour donner de l'orgueil aux filles; ça leur tue le cœur [...][20].

Cette schizophrénie ethnique et linguistique n'est pas caractéristique des francophones vivant en milieu minoritaire; autrement la vie deviendrait vite pour eux un perpétuel supplice. C'est plutôt le travers opposé qui risque de les affecter, soit une admiration et un respect parfois excessifs pour les Anglais et une trop grande complaisance pour leur langue.

Par ailleurs, nous avons fait allusion, plus tôt, au détournement mythique accompli par Alonié de Lestres qui s'est servi de la crise engendrée par le Règlement XVII pour en faire un simple décor, de manière à y étaler ses théories sur les mariages exogamiques, «mixtes» comme on disait à l'époque. Un Français, Maurice Constantin-Weyer, qui a séjourné dix ans dans l'Ouest canadien, de 1904 à 1914, a fait pire en massacrant littéralement la figure mythique de Louis Riel dans le roman *La Bourrasque*[21], publié en 1925, pour étayer le prolongement de la même théorie sur les mariages exogamiques, à savoir le néfaste mélange des races qui en découle, conformément aux idées mises de l'avant par le comte de Gobineau, l'auteur de l'*Essai sur l'inégalité des races*[22].

Dans les romans qui ont pour théâtre le Canada et qu'il est convenu d'appeler «L'épopée canadienne», Constantin-Weyer multiplie les sarcasmes et les attaques à l'endroit des Métis sous prétexte que chez les «sang-mêlé», la goutte de sang amérindien vient corrompre tout l'héritage génétique et en fait des êtres nonchalants, inconstants, «qui ne pensent qu'à se saouler, à satisfaire leur rut grossier[23]». Les descriptions physiques qu'il sert à ses lecteurs sont invariablement marquées au coin du mépris, comme dans *La Bourrasque*, où il

103

compare trois fois le teint foncé de Métis à la couleur des viandes fumées, d'une façon qui n'est guère valorisante :

> La maritorne [Virginie Morin][...] sa figure, ronde et sans nez apparent, aux yeux minces percés obliquement dans la couenne fumée du visage [...]. (p. 42)
> Lavallée tourna par-dessus son épaule sa tête en jambon fumé dont la couenne dure était à peine fendue aux yeux [...]. (p. 143)
> Dumont [...] tournait de temps à autre sa face jambonnée et velue [...]. (p. 230)

Dans le même ouvrage, les ressortissants de la Grande-Bretagne sont présentés d'une façon tout autre, avec des facies de patriciens :

> Lorsque l'étranger [le capitaine Cameron] se retourna, on vit que c'était un fort bel homme, un peu pâle, à l'œil vif et intelligent. Il avait une figure fine et volontaire, barrée d'une petite moustache noire extrêmement martiale [...]. (p. 96)

Ce parti pris en faveur des Anglo-Saxons ne doit pas nous étonner, quand on sait quelle importance l'auteur attachait à ses origines germaniques franques. Il a d'ailleurs longuement disserté sur les motifs à l'origine de cette admiration dans son chapitre «Le poème de l'étonnante réussite anglo-saxonne» inséré dans l'ouvrage *Manitoba*[24], paru en 1924. Une admiration qui n'a pas de retenue et qui lui fait décrire Scott, celui dont la mort allait déclencher les représailles militaires dontre Louis Riel et les Métis, comme ayant «une jeune figure de demi-dieu[25]», rien de moins! On a donc ici une preuve supplémentaire, s'il en fallait une, que les écrivains créent leurs personnages qu'ils élaborent à travers le prisme déformant de leurs préjugés et les portraits qu'ils en dressent résultent de la sympathie ou de l'antipathie qu'il éprouvent pour le groupe ethnique en question.

La théorie de Constantin-Weyer sur les conséquences négatives du mélange des races est illustrée de façon frappante lorsque le romancier décrit la mort par pendaison de deux chefs déchus, d'abord celle d'un chef indien, dans *Vers l'Ouest*[26], paru en 1921, un ouvrage qui prépare le second, *La Bourrasque*, ce dernier se terminant par la pendaison du leader métis Louis Riel. Le premier est un Sioux, un Amérindien «pur», «beau comme une statue de bronze», selon les termes mêmes de Constantin-Weyer. Impassible, il meurt dans la plus grande dignité, et la dernière image qui nous en est fournie est ennoblissante, avec «la silhouette du pendu qui se découpait en noir dans le soleil couchant[27]». Louis Riel a moins de chance, car Constantin-Weyer s'acharne sur lui jusqu'à son dernier souffle, en fournissant un dernier détail propre à avilir la fin tragique du chef métis oscillant au bout de la corde : «La culotte de toile se tacha au haut des cuisses, et la Chose n'eut plus de soubresauts[28].» Cette dernière image, pour le moins répugnante, s'inscrit dans la continuité logique d'un personnage présenté, tout au long du récit, comme un type soumis à un atavisme résultant du mélange des races, un processus présenté comme néfaste, qui a l'heur de diluer les qualités propres aux ethnies, quitte à en exacerber les tares, ou peu s'en faut.

DES FIGURES MYTHIQUES À RESTAURER, MAIS AVEC PRÉCAUTION

Les critiques de l'époque ont réagi sur-le-champ et avec vigueur à pareille infamie. La réhabilitation littéraire s'imposait et il était dans la nature des choses qu'elle vienne de l'Ouest, notamment grâce à un dramaturge et à un jeune romancier. Claude Dorge a créé la pièce *Le Roitelet*[29] en 1976. La stature de Louis Riel est telle qu'on ne peut la réactualiser avec une approche réaliste, vériste. Dorge l'a senti qui a situé l'action de sa pièce à l'hôpital Saint-Jean-de-Dieu de Longue-Pointe, en 1876, et grâce à un jeu de retour en arrière et de projection dans le temps, les principaux personnages qui sont intervenus dans la vie du héros apparaissent et disparaissent dans un flou onirique qui nous épargne une évocation échotière et réaliste. L'effet est réussi et la figure mythique de Louis Riel n'en sort pas rapetissée, bien au contraire.

Un jeune romancier a accompli la même tâche, en utilisant un subterfuge analogue pour éviter de faire revivre le personnage de légende dans un roman historique conventionnel. Ronald Lavallée a fait paraître *Tchipayuk ou le chemin du loup*[30] chez un éditeur parisien en 1987, et il a centré son récit sur la carrière, l'évolution d'un jeune Métis, Askik Mercredi, qui connaît un cheminement comparable à celui de Louis Riel, avec un séjour chez les Sulpiciens de Montréal pour parfaire son éducation. Dans la quatrième et dernière partie du roman, Mercredi, devenu avocat, retourne dans l'Ouest pour servir de guide à un journaliste qui doit «couvrir» la révolte des Métis. Pour cette dernière partie, le roman s'oriente vers l'histoire authentique avec une description des champs de bataille, la présentation des généraux anglais, mais Louis Riel reste en coulisse, car jamais le romancier ne l'amène en avant-plan, pour nous le faire voir de près, pour le faire parler. Ce personnage central n'en est pas moins présent, et la culture et le destin de son peuple sont exposés au lecteur avec beaucoup de netteté. Cette optique particulière a été qualifiée de «narration décentrée» par Ingrid Joubert[31] et il faut convenir que le procédé est efficace et témoigne d'une réserve respectueuse et prudente, de mise lorsqu'on s'approche d'une figure mythique.

Il faut cependant se souvenir que les héros des uns sont presque immanquablement les vilains des autres. À preuve, l'ouvrage de Nancy Huston, *Cantique des Plaines*[32], qui a été couronné par le Prix du Gouverneur général en 1993, section langue française. Dans ce roman, l'auteure, une Albertaine de langue anglaise qui vit et écrit à Paris depuis plusieurs années, cherche à transmettre à ses lecteurs le mythe de l'Ouest canadien, avec force cow-boys et Amérindiens, mais en faisant abstraction de la réalité francophone, à une ou deux exceptions près. Au passage, elle stigmatise les Métis qu'elle traite de scélérats, et en racontant la coutume — imaginaire ou inventée — qui consistait à faire déflorer de jeunes Amérindiennes par des hauts gradés de la Hudson's Bay Company, elle prend soin de se distancier du procédé en mentionnant qu'il donnait parfois lieu à des ratés regrettables, tel Louis Riel...

LES MYTHES DONT IL CONVIENT DE LAISSER LA CONFECTION AUX GENS DE L'EXTÉRIEUR

Il arrive cependant que le mythe soit fabriqué par des étrangers et pour une consommation à l'étranger. Dans ce cas, il est dans la nature des choses que des gens de l'extérieur participent à son élaboration. D'ailleurs, l'essentiel d'*Autour de l'épopée canadienne* de Maurice Constantin-Weyer a été conçu à cette fin, et n'eût été cette malheureuse incursion dans l'histoire canadienne, personne n'eût trouvé à redire à cette entreprise littéraire destinée à faire frémir un lectorat français en mal d'exotisme en lui faisant expérimenter la vastitude et la nordicité d'un continent. En y regardant de plus près, on se rend compte que Constantin-Weyer provoque ces émotions fortes en recourant inlassablement aux même trucs et recettes qui consistent à lancer ses personnages dans des courses éperdues à travers les «Barren Lands» du Grand Nord, avec l'ombre de la mort qui plane sur des intrigues amoureuses, en s'arrangeant pour faire périr les plus faibles, d'épuisement ou de froid, l'ennemi numéro un qui congèle le mercure dans la boule du thermomètre, une image reprise au moins une demi-douzaine de fois d'un roman à l'autre[33].

Plus près de nous, Bernard Clavel est venu lui aussi poser un regard de Français sur le Nord-Ouest québécois afin d'en extraire une image mythique de grands espaces, de récits à base d'errance et d'aventures de toutes sortes. Après les titres de la série *La Colonne du ciel*, qui constitue une transition entre l'Ancien et le Nouveau Monde, le romancier fera paraître les six romans de la série du *Royaume du Nord* échelonnés de 1983 à 1989 : *Harricana, L'Or de la terre, Miserere, Amarok, L'Angélus du soir* et *Maudit sauvage*[34].

Le romancier français s'intéresse à la région que Félix-Antoine Savard a chantée et glorifiée dans *L'Abatis*, cette ode aux colonisateurs qui se sont approprié le territoire pendant la Crise. On sait comment Pierre Perrault, après la publication du fameux «Testament politique[35]» de Félix-Antoine Savard, a dénoncé avec une rare virulence la transposition mythique à laquelle s'est adonné le prêtre-colonisateur. Le cinéaste fait une lecture à froid des événements et dresse un bilan désastreux de cette entreprise qui a engouffré dans une misère indicible des contingents de colons qui se sont échinés à défricher un territoire impropre à la culture[36].

Les personnages créés par Bernard Clavel n'essaient pas de s'approprier le sol par la culture, mais se contentent de le parcourir. Dans *Harricana*, il y a bien Alban Robillard, sa femme Catherine et leurs enfants qui tentent d'arracher leur subsistance à une terre ingrate, mais le personnage principal est le coureur de bois et frère de Catherine, Raoul, et c'est lui qui fera triompher le nomadisme et l'errance au détriment de l'enracinement et l'attachement au lopin de terre. Et c'est ainsi que leur univers devient la forêt, les fleuves, les rivières, la piste sans fin et les neiges impitoyables. Les personnages renoncent à leur terre, vont de l'avant et font de l'immensité leur nouvelle patrie. Une fois de plus, la vastitude du Nouveau Monde est mise à profit pour faire rêver un lectorat surtout hexagonal au territoire densément peuplé.

Coïncidence troublante, tout comme Menaud qui devient fou à la fin du roman de Savard, Cyrille, dans *L'Angélus du soir* de Bernard Clavel, est le dernier colon de Val Cadieu qui s'acharne encore à «faire de la terre», mais il perd peu à peu la raison et devient fou lui aussi, une façon de consacrer l'échec de l'agriculturisme dans la saga du «Royaume du Nord».

CONCLUSION : LE MYTHE, ATTRAIT ET RÉTICENCES

Le mythe se prête à toutes sortes de fonctions. On peut s'en servir, par exemple, pour propager une idéologie, que ce soit le retour à la terre ou l'attachement à des valeurs culturelles perçues comme originales, qu'on détient en propre. On le retrouve, omniprésent, dans les littératures en émergence à qui on confie presque invariablement un rôle identitaire, dans les débuts en tout cas. Les matériaux sont à la disposition de tous et on ne peut exclure les littéraires de l'extérieur qui les détectent, d'autant que cet apport permet un rayonnement hors Landerneau toujours prisé, particulièrement lorsqu'on ressent un certain complexe d'être perçu comme une littérature régionale. Mieux encore, la littérature destinée à la consommation étrangère en mal d'exotisme ne peut atteindre son but que si les observations faites sur les lieux sont filtrées par un regard autre, le seul vraiment idoine pour fabriquer du dépaysement.

Cela dit, sans verser dans un protectionnisme étroit, les littéraires d'une région donnée doivent participer à l'élaboration de leurs propres mythes, car tout comme les étrangers qui sont les seuls vraiment aptes à extraire d'un lieu donné les éléments exotiques destinés à la consommation extérieure, les écrivains issus d'une histoire et d'une culture sont les mieux placés pour faire cette transposition à l'intention des leurs, avec une optique propre, un ton juste, un découpage adéquat.

Le mythe, fécond pour l'écrivain, auréoleur d'idéologie, irrigateur de l'identité collective, si on n'y prend garde, peut devenir facteur d'immobilisme et de stérilité. Il ne s'agit pas d'une renonciation par la rupture ou par la cassure — le risque serait énorme pour un peuple minoritaire — mais plutôt d'un rapatriement, d'une réinterprétation. C'est dans cette perspective que Glenn Moulaison montre l'importance du long poème-charnière d'Herménégilde Chiasson, *Mourir à Scoudouc*, publié en 1974. Dans son article sur «Le néo-nationalisme acadien "à l'heure actuelle" ou La question du savoir en Acadie[37]» publié en mars 1996, l'universitaire produit une herméneutique convaincante de ce texte-culte et montre que, pour Chiasson, le «mythe national» reste d'actualité, que le poète «s'y identifie, le rapatrie et le singularise».

La prolongation du mythe s'effectue tout naturellement par le biais du roman historique, un genre dont Claude LeBouthillier se sert, en Acadie, pour valoriser un passé inspirateur et cathartique. D'autres auteurs continuent à alimenter ce genre littéraire, tels le docteur Edmond Landry et son premier roman *Alexis* (Éditions d'Acadie, 1992), ou encore Sylvain Rivière et son livre au titre évocateur, *La Belle embarquée* (Éditions d'Acadie, 1992), un écrivain prolifique celui-là, mais Landry et Rivière ramènent le lecteur à l'événement mythique par excellence, la Déportation.

Par ailleurs, une nouvelle génération de poètes acadiens a voyagé et il n'est pas rare qu'à la suite de ces périples on fasse abstraction du rôle identitaire de la littérature pour aborder le thème de l'errance, mais une errance de qualité, internationale, peut-être une façon de se reposer de l'Acadie, de la laisser reposer un peu... Nous pensons ici surtout au magnifique *Cycle de Prague* (Éditions d'Acadie, 1992) de Serge Patrice Thibodeau. Charles Pelletier, dans *Oasis, Itinéraire de Delhi à Bombay* (Éditions d'Acadie, 1993), livre ses impressions de voyage dans une prose poétique plutôt réussie.

Des écrivains, après s'être inspirés de leur milieu pour leurs premières œuvres, prennent ensuite leurs distances vis-à-vis de cette optique identitaire qui risque d'être perçue comme régionale et s'orientent vers une thématique plus universelle, moins marquée par une région donnée. Le cas le plus frappant de bifurcation littéraire est certes celui de Jacques Savoie, originaire d'Edmunston, au Nouveau-

Brunswick, et dont le premier roman, paru en 1979, *Raconte-moi Massabielle* (Éditions d'Acadie), est intrinsèquement acadien, non pas tellement parce que l'action se déroule dans un petit village abandonné de l'Acadie, mais bien grâce à une facture où l'oralité propre à ce peuple est omniprésente. Denis Bourque a bien montré qu'il faut dépasser une analyse de ce roman au premier degré, car «derrière le carnavalesque rabelaisien se profile une dimension sacrificielle, celle des grands mythes collectifs qu'il faut larguer pour prendre le large[38]».

Jacques Savoie a subi une véritable «déterritorialisation» thématique et stylistique en poursuivant sa carrière au Québec. Dans son deuxième roman, *Les Portes tournantes* (Boréal, 1984), non seulement l'action se situe-t-elle au Québec, mais la langue utilisée est parfaitement normalisée et il en sera ainsi pour toute la production littéraire subséquente de l'auteur, à telle enseigne que certains dialogues sonnent faux, lorsque le jeune Québécois Antoine, des *Portes tournantes*, âgé de dix ans, s'exprime comme un écolier français. Subsiste quand même dans ce roman une filiation acadienne en la personne de la grand-mère Céleste, qui n'a rien d'une Sagouine cependant, puisqu'une fois sortie de son petit bled natal, près de Campbellton, elle a abandonné son mari issu de la petite bourgeoisie locale, pour associer sa destinée à un violoniste noir et finir ses jours à New York.

Dans *Le Récif du prince* (Boréal, 1986) et *Une histoire de cœur* (Boréal, 1988), l'auteur ne mentionne nulle part l'Acadie, et même si l'action se situe à Montréal, il fait beaucoup voyager ses personnages : non seulement à New York, mais aussi à Paris, avec des incursions en Yougoslavie et en Islande. Dans les deux cas, l'histoire pourrait se dérouler n'importe où et n'est pas particulièrement québécoise. Il faut souligner que dans la présentation des *Portes tournantes*, en quatrième de couverture, il n'est fait nulle mention de *Raconte-moi Massabielle*, et dans la notice biographie préparée pour *Le Récif du prince*, l'omission devient carrément mensongère : «On re-

trouve dans ce roman les qualités qui avaient fait le grand succès du *premier* [nous soulignons] roman de Jacques Savoie, *Les
Portes tournantes*», un peu comme si on avait senti le besoin de
gommer le début de carrière acadien de l'auteur, afin de lui
refaire une citoyenneté québécoise à part entière. Maintenant
bien en selle, pour son roman suivant, *Le Cirque bleu* (1995),
publié non plus chez Boréal mais à La courte échelle, on n'a
pas craint de dire la vérité et de faire imprimer, en toutes
lettres, dans la notice biographique surmontée de la photographie de l'écrivain : «En 1980, Jacques Savoie publie son premier roman, *Raconte-moi Massabielle*». Sauf que ce premier
roman a été publié en 1979, mais n'en demandons pas trop.

Le cas de Savoie illustre un autre mode de distanciation
vis-à-vis du rôle mythique, ou simplement identitaire, de la
littérature, provoqué, dans son cas, par une nouvelle allé-
geance à une autre littérature à la suite d'un changement de
territoire. Tous n'ont pas l'étoffe d'une «Evangéline Deusse»
«exilée» comme tant d'autres à Montréal, à qui Antonine
Maillet fait dire :

> Maniére de doumage de laisser corver ta part de pays que
> t'emportes avec toi. Une parsoune peut consentir à s'ex-
> patrier, pis s'exiler au loin; ben faut point qu'i y demandiont
> d'oublier[39].

Evangéline Deusse a beau dire, on ne peut exiger des écrivains
d'avoir leur origine, leur patrimoine chevillés à l'âme et à la
plume, à perpète. À l'autre extrémité du spectre identitaire, en
Amérique du Nord, on retrouve ceux qui ont tout largué, non
seulement les références à leur milieu culturel, mais même la
langue qui les y associait. Et à cette réplique d'Evangéline
Deusse, il convient de mettre en contraste ce commentaire qui
suit la réponse du frère anglicisé de Jack Waterman et que
nous avons cité plus haut : «I don't know you». Afin de ne pas
laisser le lecteur en état de choc, le romancier explique que la

maladie qui a affecté Théo s'appelle «creeping paralysis», et il fait le commentaire suivant :

> Sa mémoire était atteinte et il ne savait plus très bien qui il était, mais avec les soins compétents et attentifs qu'on lui prodiguait, il n'était pas malheureux [...]. En essayant de faire ressurgir le passé, on risquait d'aggraver son état[40].

Entre ces deux pôles, celui de la fidélité à ses origines qu'on magnifie dans ses textes, et celui de l'amnésie, on trouve toutes les options littéraires : non seulement le mythe, mais aussi l'utopie, particulièrement inspiratrice et féconde en milieu minoritaire.

Notes

1   Félix-Antoine Savard, «Lettre à un ami sur les Relations de Cartier», *L'Abatis*, Montréal, Fides, 1943, p. 172.

2   Jacques Poulin, *Volkswagen Blues*, Québec/Amérique, 1984, p. 285.

3   Ringuet, *Trente Arpents*, 1938, Montréal et Paris, Fides, 1957, p. 282

4   Gabriel Sagard, *Le Grand Voyage au pays des Hurons,* Paris, Tross, 1865 [1632].

5   Peter Halford, *Le Français des Canadiens à la veille de la Conquête : témoignage du père Pierre Philippe Potier, s.j.*, Ottawa, PUO, 1994.

6   Robert Challes, *Mémoires, Correspondance complète, Rapports sur l'Acadie*, éd. préparée par Frédéric Deloffre, Genève, Droz, 1996, p. 16.

7   Alonié de Lestres (Lionel Groulx), *L'Appel de la race*, 1922, Montréal, Granger et Frères, 1943.

8   *Id., Au cap Blomidon,* Montréal, Granger et Frères, 1932.

9   Henry Wadsworth Longfellow, *Evangéline*, Moncton, Les Éditions Perce-Neige, 1994 [édition originale en 1847; traduction de Pamphile LeMay en 1912].

10   Napoléon Bourassa, *Jacques et Marie*, 1865, Montréal, Fides, 1976.

11   Voir *Au cap Blomidon*, note de la p. 239.

12   Philippe Porée-Kurer, *La Promise du Lac*, Chicoutimi, Éditions JCL, 1993. En fait, c'est un Franco-Américain, Henri Chapdelaine, qui, le premier, a eu l'idée de donner une suite au roman de Louis Hémon, lorsqu'il a fait paraître, en 1988, à Manchester, NH, *Au nouveau pays de Maria Chapdelaine*.

13   Henry Wadsworth Longfellow, *op. cit.*, p. 99.

14   Antonine Maillet, *Pélagie-la-Charrette*, Montréal, Leméac, 1979.

15   *Ibid.*, p. 350.

16   Voir *Au cap Blomidon*, p. 27-28.

17   *Ibid.*, p. 53-54.

18   Alonié de Lestres, *L'Appel de la race*, p. 64.

19   Jean Féron (Joseph-Marc Lebel), *La Métisse*, 1923, Saint-Boniface, Éditions des Plaines, 1983.

20   Napoléon Bourassa, *op. cit.*, p. 190.

21   Maurice Constantin-Weyer, *La Bourrasque*, Paris, F. Rieder, 1925.

22   Comte de Gobineau, *Essai sur l'inégalité des races*, Paris, Librairie de Paris, 1933.

23   Maurice Constantin-Weyer, *La Bourrasque*, p. 219.

24   *Id.*, *Manitoba*, Paris, F. Rieder, p. 75-86.

25   *Id.*, *La Bourrasque*, p. 127.

26   *Id.*, *Vers l'Ouest*, Paris, La Renaissance du Livre, 1921.

27   *Ibid.*, p. 238-239.

28   Maurice Constantin-Weyer, *La Bourrasque*, p. 248.

29   Claude Dorge, *Le Roitelet*, Saint-Boniface, Les Éditions du Blé, 1980.

30   Ronald Lavallée, *Tchipayuk*, Paris, Albin Michel, 1987.

31   Ingrid Joubert, «La narration décentrée dans *Tchipayuk ou le chemin du loup* de Ronald Lavallée», dans *L'Ouest canadien et l'Amérique française*, huitième colloque du CEFCO, 1988, University of Regina, 1990, p. 259-274.

32   Nancy Huston, *Cantique des Plaines*, Montréal, Leméac, 1993.

33   Voir à ce sujet l'article qui suit.

34   Ces romans, à l'origine, ont paru à Paris chez Albin Michel.

35   Félix-Antoine Savard, «Testament politique», dans *Le Devoir*, 6 janvier 1978, p. 5.

36   Pierre Perrault, «Réponse de Menaud à Savard – Le Royaume des pères à l'encontre des fils», dans *Le Devoir*, 28 janvier 1978, p. 1 et 48.

37   Glenn Moulaison, «Le néo-nationalisme acadien "à l'heure actuelle" ou La question du savoir en Acadie», dans *Francophonies d'Amérique*, n° 6, 1996, p. 7-19.

38   Denis Bourque, «Quand la fête "tourne mal" : carnavalesque et crise sacrificielle dans *Raconte-moi Massabielle* de Jacques Savoie», dans *Francophonies d'Amérique*, n° 6, 1996, p. 21-32. Citations extraites de la présentation du numéro, p. 3.

39   Antonine Maillet, *Evagéline Deusse*, Montréal, Leméac, 1975, p. 22.

40   Jacques Poulin, *Volkswagen Blues*, p. 288.

Mythe et ethnicité dans divers romans de Maurice Constantin-Weyer, inspirés par le Canada

L'ATTRAIT QU'EXERCE LE Nouveau Monde sur les Français a poussé plusieurs d'entre eux à tenter l'aventure de la colonisation dans les immenses prairies de l'Ouest canadien, de 1880 jusqu'à la Première Guerre mondiale. Ces Français étaient stimulés par une réclame dans laquelle on avait de manière cauteleuse gommé les aspects pénibles de cette vie de pionniers, ou étaient convaincus de partir à la conquête de l'Ouest sous l'influence des propagandistes-recruteurs au verbe persuasif, comme l'abbé Jean Gaire, avec l'appui de la Société d'immigration française[1].

Pour plusieurs d'entre eux, l'expérience se solda par un échec, car ils n'étaient pas préparés à affronter les rigueurs d'une nature réticente à se laisser dompter[2]. Après quelques années de misère, ou quelques mois seulement, on remballait ses effets personnels et ses illusions; ruiné, désabusé, on quittait ces terres hostiles pour retourner à un mode de vie moins ingrat. Quant à ceux qui ont persévéré, ils allaient marquer d'une empreinte bien française toute une portion de continent en fondant des communautés dont les toponymes, à eux seuls, montrent clairement le caractère homogène francophone des débuts.

Mais il est un domaine où l'influence des deux groupes — ceux qui ont abandonné la partie et les plus coriaces qui sont restés — s'est avérée marquante, et c'est celui du monde des lettres. En effet, tant ceux qui ont fait souche dans l'Ouest canadien que les démissionnaires retournés en Europe ont exercé une profonde influence sur la littérature d'expression française des Prairies, qu'elle soit élaborée sur les lieux mêmes, par Georges Bugnet par exemple, ou à distance, mais inspirée géographiquement, telluriquement par cet immense territoire, comme chez Maurice Constantin-Weyer.

Ce dernier, né à Bourbonne-les-Bains en 1881 et décédé à Vichy en 1964, passa dix ans au Canada (1904-1914), surtout à Saint-Claude, au Manitoba, pratiqua divers métiers et s'adonna à un mode de vie plus ou moins itinérant. Il retourna en France pour s'engager sous les drapeaux au début de la Première Guerre mondiale et il ne revint jamais au Canada, ce qui ne l'empêcha pas de produire plusieurs textes, de fiction ou inspirés par l'histoire, ayant pour théâtre les Prairies où il avait vécu pendant une décennie.

Il devint célèbre lorsque le roman *Un homme se penche sur son passé* lui valut le Prix Goncourt, en 1928. En 1934, il produisit un autre roman apparenté au précédent, *Un sourire dans la tempête*. Son tout premier roman, *Vers l'Ouest* (1921), constitue la première partie d'un diptyque, destiné à brosser une vaste fresque où sont présentés les Amérindiens et les Métis notamment, une façon de préparer la venue du héros et défenseur du peuple métis, Louis Riel, le personnage au centre de *La Bourrasque* (1925). Il fallait faire un choix, parmi une production très considérable, échelonnée de 1921 à 1962, et comprenant «vingt-trois romans, vingt et un essais, quatorze préfaces ainsi qu'un nombre d'inédits et d'articles de journaux[3]». Nous avons donc utilisé principalement les quatre titres mentionnés ci-dessus, tout en nous référant, à l'occasion, à *Telle qu'elle était en son vivant* (1936), et à deux autres titres tirés, eux aussi, de ce qu'il est convenu d'appeler l'«Épopée canadienne», soit *Manitoba* (1924) et *Cinq Éclats de silex* (1927)[4].

Au cours de cette étude, nous tenterons de montrer comment Maurice Constantin-Weyer mythifie son univers romanesque pour séduire son public lecteur européen. Par ailleurs, les allusions et jugements relatifs aux différentes ethnies sont légion, parallèlement à une forme d'ethnocentrisme selon laquelle certains Français — pas tous — semblent supérieurs aux ressortissants des autres nationalités, ce qui leur permet de triompher de leurs adversaires et de vaincre toutes les difficultés, là où les autres échouent.

LA MYTHOLOGIE DE LA NATURE AU NOUVEAU MONDE

Les œuvres de fiction de Maurice Constantin-Weyer s'apparentent au roman populaire, parce qu'on sent chez l'auteur cette préoccupation de garder le lecteur en haleine avec des récits d'aventures palpitants où l'amour dispute la première place à la mort, dont l'ombre plane toujours sur des protagonistes qui se sont aventurés dans des espaces aux dimensions inhumaines. D'ailleurs, les personnages les plus faibles périssent en cours de route, après une agonie savamment gérée où l'on revèle juste ce qu'il faut d'indice pour laisser présager une fin tragique, probable mais non inéluctable, de façon à maintenir le suspense.

D'autre part, lorsqu'on y regarde de plus près, on se rend compte que ce sont l'environnement, la flore, la faune et les phénomènes naturels qui fournissent au romancier sa matière première pour produire la touche exotique. Et il traite ces éléments de décor avec des procédés limités en nombre, qui réapparaissent, identiques, d'un roman à l'autre, l'auteur ne répugnant pas à répéter mot à mot, dans des œuvres différentes, une formulation sans doute jugée particulièrement réussie.

Les changements des saisons, aux contrastes spectaculaires sous les latitudes boréales, sont traités à la façon des romantiques, sous forme de camée, avec des entrelacs de métaux plus ou moins précieux sertis de gemmes de toutes sortes, dans les trois premiers romans retenus, *Un sourire dans la tempête* se démarquant des autres à ce chapitre[5]. Ainsi, cette description de l'automne :

> Les feuilles des érables se tachèrent de sang; les feuilles des frênes se vêtirent d'or, et les feuilles des chênes passèrent du bronze vert au cuivre oxydé. Après des journées de vent, les bouleaux à canots montrèrent autour de leurs troncs d'argent des branches peintes en laque carminée. (*Vers l'Ouest*, p. 111-112)

Pour décrire l'été et ses blés mûrs, c'est encore l'or qui fournit le meilleur matériau :

> L'août canadien, c'est le mois où commence la richesse de la terre. Or sur or, les blés ondulent. Oui! mer liquide, mais mer d'or. L'or blond et l'or fauve mêlent leurs vagues. (*Un homme se penche sur son passé*, p. 61)

Quant à l'hiver dans le Grand Nord, on le dirait illustré par un lapidaire qui aurait eu accès à la caverne d'Ali Baba :

> C'était un présent ciselé d'argent, serti d'algues marines, de topazes, d'émeraudes, de saphirs, de rubis, de béryls, d'améthystes. Et que de nacres et de perles! [...] le Nord très magnifique, aux inépuisables richesses. (*Ibid.*, p. 113)

Les différentes parties du jour subissent le même traitement; le crépuscule est présenté comme une coupe de métal précieux replacée dans son écrin de velours lorsque survient l'obscurité :

> Le soir, le ciel ressemblait à une immense coupe de jade, avec un motif de vermeil du côté de l'ouest. Mais très vite, l'objet précieux s'engainait de velours sombre piqué d'or. (*La Bourrasque*, p. 76)

Au moment où Constantin-Weyer produit cette prose imagée, à la fin du premier quart, au début du deuxième quart du vingtième siècle, il n'est pas sans savoir que tout ce clinquant appartient à une époque littéraire révolue. On en a la preuve quand il prend ses distances vis-à-vis du procédé, en attribuant à l'un de ses personnages d'origine anglaise une description constellée de turquoises, d'aigues-marines, d'émeraudes, de rubis, de topazes et d'opales, sur un fond d'argent, de vermeil, de l'«or du plus pur», pour conclure ce passage volontairement surchargé avec le commentaire suivant : «Puis il [Smith] éclata de rire, car il professait pour les mauvais poètes le mépris le plus profond.» (*Ibid.*, p. 167) Ailleurs, dans *Un homme se penche sur son passé*, il se démarque, de la même façon, d'une vision plutôt bucolique attribuée à son compatriote français qui, perdu dans l'immensité enneigée du Grand Nord, s'ennuie de sa fiancée et l'imagine au milieu de la ferme paternelle, revenant de l'étable avec deux seaux de lait, le soir, alors qu'une fumée «flotte bas et se dissout dans un soir acide comme une perle dans du vinaigre» au milieu des bruits évocateurs comme «le tintement lent des clochettes des bêtes à cornes», le «chien qui aboie», le «train qui siffle». Et le personnage principal du roman, un autre Français, Monge, d'une essence supérieure, coupe court à cette imagerie plutôt mièvre en ces termes : «Cela fait Rantz des Vaches! Chromo romantique, que j'envoie chez le chiffonnier avec la salle à manger Henri II et le petit manteau Ruy Blas [...].» (*Un homme...*, p. 62)

Ces procédés de distanciation ne convainquent qu'à demi, et le doute persiste quant à la motivation profonde de ces jugements de valeur qu'on sent adressés à un segment du public lecteur un peu plus averti, et sans doute aussi aux critiques, dont il est de bonne guerre de parer les attaques. En fait, Constantin-Weyer, dans ses premiers romans en tout cas, hormis quelques dénégations adressées à la galerie des spécialistes, ne se gêne pas pour commettre nombre de «chromos romantiques», probablement par goût personnel et peut-être aussi pour plaire à un certain public qui, toutes ethnies ou époques confondues, affectionne ce genre d'imagerie. Paradoxe révélateur : après avoir fait qualifier de «chromo romantique», par le «je» du personnage principal, la scène de ferme évoquée plus haut, une dizaine de pages plus loin, le romancier, en utilisant une troisième personne neutre, se lance à son tour dans une description agreste qu'on pourrait qualifier de «super-chromo romantique», avec, en prime, un gonflement de la métaphore qui confine à la démesure, sinon à la boursouflure :

> Les ciselures d'argent du matin, volatilisées par le soleil, se sublimèrent en paillettes roses et mauves, accrochées dans l'atmosphère. De meilleure heure, on entendit les clochettes des vaches qu'un soir pasteur, drapé de laine rousse, ramenait dans les fermes en même temps que tous les souvenirs du jour. Subitement mûrs, les fruits du pembina furent, dans les bois, ces éclatants coraux sertis d'ors patinés. (*Ibid.*, p. 73)

Ces descriptions dites romantiques, en plus de correspondre à un rituel des belles lettres à une certaine époque, étayent la crédibilité du romancier auprès d'un certain nombre de lecteurs et lectrices qui se sentent rassurés par ces passages «bien écrits». Mais tout cet aspect stylistique suranné joue en outre un rôle de faire-valoir lorsque le romancier, après avoir campé un décor conforme à certains canons esthétiques sécurisants, change brutalement de registre et opte pour la facture naturaliste, et encore avec une touche de réalisme cru inspiré par la vie nomade et les grands espaces qui poussent ceux qui s'y risquent à des gestes extrêmes pour sauver leur vie.

On imagine sans peine les frémissements, pour ne pas dire l'horreur, ressentis par le lecteur assoupi par une prose romantique aux effets lénifiants et émollients qui est convié, l'instant d'après, à assister à une scène barbare où le héros, exsangue, au bord de l'inanition, réussit néanmoins à abattre un orignal et, après lui avoir entaillé le cou, boit à même la veine jugulaire «le sang, le bon sang tiède qui s'écoulait en faisant goulouglougoulou» (*ibid.*, p. 96). En dépeçant l'animal, il ne peut s'empêcher de mâcher, «avec une volupté inconnue, des bribes de bonne chair crue, savoureuse et tiède» (*ibid.*, p. 96).

Quelques pages plus loin, l'auteur en remet et ne nous épargne aucun détail, en décrivant par le menu une scène à peu près identique, se passant cette fois avec un loup :

> Je bus le sang qui lui coulait, mêlé de poils, de débris d'os, à l'endroit où la balle était ressortie par la nuque. Puis je mangeai de la neige imbibée de sang. Ensuite je l'éventrai, et je mordis à même le foie chaud. Cela sentait fort, et, en tout autre moment, j'aurais trouvé que le fumet de cette bête était intolérable. En cet instant, c'était délicieux. (*Ibid.*, p. 110)

Auparavant, toujours réduit à la dernière extrémité, pour récupérer quelque énergie, il avait eu recours à un autre expédient, à la limite du tolérable celui-là. Qu'on en juge. Son compagnon d'aventures, un autre Français moins coriace, ayant succombé aux difficultés de cette randonnée sans fin, allait contribuer à redonner des forces à notre héros : «Je fouillai le paquetage du mort, et je fis bouillir des vieux mocassins que j'y trouvai. Cette soupe ignoble me redonna de la vigueur pour vingt milles encore.» (*Ibid.*, p. 107) C'est à se demander si l'anthropophagie, dans les circonstances, n'eût pas été moins répugnante que l'ingestion de cette décoction infecte.

Maurice Constantin-Weyer a recours à un procédé plus serein pour faire frémir lecteurs et lectrices, en les faisant frissonner... de froid, tout simplement. Il faut préciser que le phénomène est extrême, caractéristique du Grand Nord, sans commune mesure avec le froid pourtant éprouvant subi chaque hiver par les Canadiens vivant dans les régions plus peuplées, le long de la frontière américaine. Le Froid, présenté avec un F majuscule (*Un homme...*, p. 209), constitue un actant essentiel et tout-puissant auquel les humains seront confrontés au péril de leur vie. En plus, tous les héros, dans les romans retenus, iront grelotter dans les steppes glacées et désertiques de ces «Barren Lands» (*ibid.*, p. 83) ou «Barren Grounds» (*Un sourire...*, p. 9), y compris les lecteurs qui sont conviés à faire l'expérience de ces basses températures, par le recours au «vous» : «Votre haleine fera, autour de votre visage, cette brume épaisse [...]. Des glaçons dégoûtants vous pendront devant les lèvres [...]. Vous vous apercevrez que vous maigrissez, et que vous brûlez rapidement des réserves précieuses.» (*Un homme...*, p. 211)

Avant de parler du froid, le romancier prend toujours soin de camper le décor en mettant l'accent sur certains phénomènes naturels spectaculaires ou inusités propres au Grand Nord, comme les aurores boréales (*Vers l'Ouest*, p. 128-129; *Un sourire...*, p. 168), aussi appelées «clairons» (*ibid.*, p. 193), de même qu'une illusion d'optique propre aux cieux septentrionaux, soit la «parhélie» ou la «croix de Malte», une illusion d'optique qui donne l'impression d'une «rosace avec quatre faux soleils en croix autour du vrai» (*Un homme...*, p. 200; *Un sourire...*, p. 10 et 195; *Manitoba*, p. 64 et 117; *Cinq Éclats de silex*, p. 102; *Telle qu'elle était en son vivant*, p. 211). La réverbération de la lumière sur la neige, quant à elle, peut provoquer la «cécité des neiges» (*Un homme...*, p. 85 et 92; *Manitoba*, p. 66) appelée ailleurs l'«ophtalmie des neiges» (*Un sourire...*, p. 184; *Telle qu'elle...*, p. 211). Sous ces latitudes, les engelures sont instantanées (*Vers l'Ouest*, p. 165) et même les yeux peuvent être atteints, provoquant là encore la cécité (*ibid.*, p. 159).

Les phénomènes naturels impressionnants ou extrêmes du Grand Nord et leur incidence sur la vie humaine sont bien résumés dans un passage de *Cinq Éclats de silex* (1927) où le narrateur exprime son extrême lassitude face aux rigueurs de la nature :

> Merci, je venais d'en prendre, de l'hiver et de la solitude, et de la neige, et des aurores boréales, et des soleils multipliés par cinq et dressés en croix sur l'auréole de leurs cercles parhéliques, et du feu d'artifice de la glace contractée et qui détonne sous le regel, et des petits feux qui vous rôtissent le ventre tandis que votre dos gèle, et des jours sans pain, ni viande, et de la soif que la neige ne calme pas, et des os du front qui vous font mal, et des yeux qui pleurent, et des larmes qui vous collent les cils l'un à l'autre — elles sont gelées — et [...]. (p. 102)

Sans doute que Constantin-Weyer a lui aussi jugé réussi le résumé, puisqu'il le reprend dans *Un homme se penche sur son passé*, paru un an plus tard. Il n'est pas exagéré de parler d'une opération de démarquage, puisqu'on note seulement trois retouches mineures : «je venais d'en prendre» est maintenant conjugué au passé composé : «J'en ai assez pris»; le passage «des jours sans pain ni viande» a été biffé de la seconde version; «les paupières» ont été ajoutées aux «cils» de la première version. Pour le reste, tout est rigoureusement identique :

> Merci! J'en ai assez pris de l'hiver et de la solitude, et de la neige et des aurores boréales, et des soleils multipliés par cinq et dressés en croix sur l'auréole de leurs cercles parhéliques, et du feu d'artifice de la glace contractée et qui détonne sous le regel, et des petits feux qui vous rôtissent le ventre tandis que votre dos gèle, et de la soif que la neige ne calme pas, et des os du front qui vous font mal, et des yeux qui pleurent, et des cils qui vous collent les paupières l'une à l'autre — elles sont gelées — et...!! (*Un homme...*, p. 68)

Il arrive que certains personnages secondaires présument de leur force et perdent la vie en se risquant dans ces espaces désertiques et glaciaux. C'est le sort qui est réservé à un explorateur anglais, dans le premier roman, *Vers l'Ouest*. Les deux Métis qui l'accompagnent, motivés par un mélange de sentiment religieux et de superstition, décident de ramener le corps dans le Sud afin de lui donner une sépulture chrétienne, et pour y arriver, ils l'enchâssent dans un cercueil de glace en arrosant le linceul de neige fondue qui a tôt fait de se congeler. La trouvaille était trop belle pour ne pas être recyclée dans un autre roman, celui-là même qui valut à son auteur le Prix Goncourt, huit ans plus tard. La seule différence, c'est la nationalité du défunt, puisque cette fois, c'est un Français qui profite de la cryologie avant la lettre. Dans les deux cas, le procédé est rigoureusement identique, décrit avec les mêmes mots, jusqu'au chœur des loups, pour Durand comme pour Smith, qui accompagne la confection du sarcophage de glace (*Un homme...*, p. 104).

Le froid, toujours le froid; le romancier se sert aussi des objets pour en montrer la rigueur, par un simple détail glissé au milieu d'un récit : «il regarda l'heure à sa lourde montre d'or. Il calcula le retard causé par le froid qui rétrécit le balancier, et mit les aiguilles sur l'heure probable» (*La Bourrasque*, p. 139). Mais s'il est une image que Constantin-Weyer affectionne pour nous montrer jusqu'où peut descendre la température sous ces latitudes, c'est celle du mercure qui se réfugie tout entier dans la boule du thermomètre. La métaphore, sans doute jugée efficace, est reprise, parfois presque mot à mot, d'un roman à l'autre[6] :

> [...] le mercure faisait le mort et sonnait comme une pilule au fond de l'alvéole de verre. (*Vers l'Ouest*, p. 157)

> La petite boule de mercure, gelée et inerte, se laissa choir au fond de son alvéole de verre, bien décidée, semble-t-il, à traiter par le mépris toute cette folie de la nature. (*La Bourrasque*, p. 115)

> [...] le thermomètre lui-même, réfugié tout au fond de sa cave de verre, renonce à enregistrer les folies du froid. (*Un homme...*, p. 74)

À l'abri, derrière son enveloppe de verre, le liquide descend, respectueusement. Il n'éprouve pas le besoin de s'accroupir, comme terrifié, au fond de la boule. (*Ibid.*, p. 210)

[...] ces températures qui forcent le mercure à se réfugier dans la petite boule qui sert de cave au thermomètre, et au fond de laquelle il finit par dormir inerte, gelé, inutile, profondément ridicule [...]. (*Manitoba*, p. 58)

[...] le mercure faisait le mort, et sonnait comme une pilule au fond de l'alvéole de verre. (*Ibid.*, p. 64)

Maurice Constantin-Weyer tente de communiquer à son public lecteur, surtout français, la démesure du Grand Nord et les affres qui en résultent. Les procédés sont limités en nombre — les phénomènes optiques, le froid et ses incidences sur l'homme et les objets — mais choisis de façon à frapper l'imagination de gens qui vivent sous des climats moins rigoureux. En effet, les phénomènes évoqués sont dramatiques à souhait, mais on ne peut que constater la relative pauvreté de ces recettes reprises, réutilisées inlassablement.

Lorsque les protagonistes évoluent plus au sud, sous des latitudes qui offrent davantage de diversité quant à la flore et à la faune, ce sont les plantes et les animaux qui alimentent la veine exotique. Il faut dire que ces passages, de nature encyclopédique, sont plutôt bien insérés dans la trame romanesque et n'interrompent pas le fil du récit par un didactisme lourd, bien que les procédés d'insertion soient parfois cousus de fil blanc, tel ce récit de voyage que fait Gabriel Dumont, le lieutenant de Louis Riel, et qui sert de pur prétexte à un traité d'histoire naturelle où il est question de «chevreux», de «cabris» (antilope), de «buffalo», de «saulaie», de «buffalo-grass» (*La Bourrasque*, p. 207-208). Lorsque le romancier lui-même sert de guide, plus souvent qu'autrement, plutôt que d'adopter le genre reportage ou documentaire, il ne peut s'empêcher d'adapter un filtre stylistique à son objectif d'appareil-photo et il en résulte une vision anthropomorphique, une longue prosopopée[7] étalée parfois sur quelques pages, où les «oies bavardes» tiennent «d'inutiles conciliabules», alors que les corbeaux s'interrogent pour savoir où se trouve la «dernière charogne» pendant que les rats musqués construisent leur cabane et contemplent leur travail d'un «regard satisfait», etc. (*Vers l'Ouest*, p. 123-128). Dans *La Bourrasque*, on pénètre à l'intérieur d'une de ces cabanes de rats musqués par les soins d'un Métis qui perce un trou dans la paroi de l'abri et décrit à nul autre que Louis Riel les mœurs de ces «castors en miniature» (p. 117-121). Dans ce dernier roman, à l'occasion d'une description du printemps, Constantin-Weyer remet en scène le carnaval des animaux longuement décrit dans *Vers l'Ouest* et auquel nous venons de faire allusion, avec une distribution à peine remaniée, où les corbeaux réapparaissent sur une «terre frissonnante» tout juste délivrée de son «suaire élimé» pour s'arroger «des droits de préemption sur toutes les charognes qui vont apparaître» (*La Bourrasque*, p. 222). On assiste au même spectacle dans *Manitoba* :

> [...] des oies bavardes tenaient d'inutiles conciliabules; des corbeaux aux manières communes s'interrogeaient, sans s'arrêter, pour savoir où se trouvait la dernière charogne laissée pour compte par les loups [...]. (p. 54)

Constantin-Weyer, observateur de la nature, se double d'un ethnologue qui étoffe le côté exotique de ses romans en y insérant quantité de notes et de détails sur les mœurs des peuples aborigènes, sur les Métis. C'est ainsi qu'on assiste, au début de *Vers l'Ouest*, au rituel de l'enterrement de la hache de guerre, un geste dont on a fait une métaphore utilisée couramment de nos jours sans même penser à l'origine de l'expression (p. 26). Ailleurs un chef amérindien sert une leçon de respect de la nature en rappelant à ses interlocuteurs métis qu'il faut pratiquer une chasse vivrière, sans excès, pour assurer sa seule subsistance[8] (*Vers l'Ouest*, p. 22). Incidemment, un roman qui a pour théâtre l'Ouest canadien pendant la seconde moitié du dix-neuvième siècle se doit d'inclure une expédition de chasse au bison, puisque l'action se situe avant l'anéantissement de ces immenses troupeaux provoqué, justement, par une chasse intempestive. Le romancier nous sert cette séquence du Far West d'une façon enlevée et ajoute même de longues explications sur la façon d'apprêter cette venaison (*ibid.*, p. 50-59).

Il faut souligner que l'alimentation des Métis fait l'objet de nombreux descriptions et commentaires, tel ce passage où le romancier nous fait assister à la confection d'un mets particulier par une ménagère métisse :

> [...] elle puisait à pleines mains le mélange de viande sèche pilée, de graisse et de fruits secs — le *taureau* — qu'elle pétrissait en motte épaisse pour le coudre dans un sachet de peau [...]. (*Ibid.*, p. 43)

Dans le roman suivant, dont l'action est postérieure au premier d'une vingtaine d'années, nous assistons à un repas de Métis sédentarisé, préparé par la bonne Virginie qui tire vanité de son fourneau, de sa table de chêne luisante, de ses assiettes d'étain, dans lesquelles elle sert des «buns légers» (*La Bourrasque*, p. 43).

Les Blancs ont appris différentes techniques de ces peuples autochtones et il ne faut pas s'étonner de voir le Français Monge — le héros d'*Un homme se penche sur son passé* — construire de toutes pièces un canot d'écorce en expliquant en détail toutes les phases de l'opération pour conclure sur une note de fausse modestie : «En quinze heures je réalisai un canot, moins bien équilibré, certes, que s'il eût été fait par les soins d'un Chippeway, mais capable de me porter à travers n'importe quel courant» (*Un homme...*, p. 220), sauf si l'on frappe un écueil, mais là encore, notre homme sait comment réparer une telle avarie, en utilisant de l'écorce de bouleau, assemblée avec du nerf, et dont les coutures sont imperméabilisées avec du suif (*ibid.*, p. 227).

Il est cependant une autre technique décrite dans *Un sourire dans la tempête*, que les Blancs ont inventée eux-mêmes, sans influence améridienne ou métisse, afin de duper les naïfs lors de la ruée vers l'or. Pour pratiquer cette imposture, il suffit de «saler un trou», une opération décrite en ces termes, simples et clairs, par Constantin-Weyer :

> «Saler» un trou, cela est facile. On enlève le plomb d'une cartouche. On le remplace par de la poudre d'or. On tire le coup de fusil en visant le fond du trou. On recouvre le tout, ensuite, bien soigneusement. Puis, quand les gogos arrivent, on creuse l'emplacement, on montre le départ du pseudo-filon. On vend son affaire à bon prix. (*Un sourire...*, p. 88)

Donc, au centre de cet univers nord-américain septentrional que Maurice Constantin-Weyer tente de faire goûter au public lecteur européen, se trouve le Français, qu'il soit narrateur et impose son point de vue et ses jugements dans les deux premiers titres à canevas historique, ou qu'il s'institue le personnage principal en donnant à son récit inventé une allure autobiographique. Dans ce dernier cas, l'illusion est presque parfaite, surtout que le romancier prend soin de rappeler les origines françaises du «je» omniprésent et lui attribue une feuille de route qui emprunte certains éléments au curriculum vitæ du romancier.

Mais puisque nous avons affaire à un authentique héros, il y a certaines règles du genre à respecter, et il ne faut donc pas s'offusquer si Constantin-Weyer rend invincibles Monge d'*Un homme se penche sur son passé* et Lengrand d'*Un sourire dans la tempête*. Non seulement triomphent-ils de toutes les adversités, mais ils sont beaux physiquement et moralement. Heureuse coïncidence, les deux ont joué au rugby pendant leur jeunessse (*Un homme...*, p. 169), et ils en ont conservé un «large cou d'ancien avant de rugby» (*Un sourire...*, p. 65). Ils ont bénéficié «d'une bonne éducation et d'une instruction solide» dans leur mère patrie (*ibid.*, p. 12), et le Nouveau Monde a fortifié leur être intérieur, particulièrement dans le cas de Monge qui a adopté «l'esprit si sain du cow-boy» (*Un homme...*, p. 23), quitte à prendre pour modèles ces «hommes selon le cœur de l'Ouest, des hommes toujours prêts à l'action», qui dédaignent «ces petits jeux européens» inspirés par la vanité, pour s'adonner à l'aventure authentique dont l'enjeu est «la vie même» (*ibid.*, p. 199-200). Revêtez ces types virils de l'accoutrement ad hoc, tels le chapeau à large bord, le foulard rouge, et ces «salopettes de cuir à grandes franges que le cinéma a, depuis, immortalisées» (*ibid.*, p. 11), et vous êtes en présence du parfait cow-boy, plus vrai que nature.

Mieux encore, nous avons affaire à un cow-boy français, particulièrement futé, qui bat les Autochtones sur leur propre terrain, non seulement pour la confection ou la réparation des canots, mais aussi pour le dressage des chevaux sauvages, ce qui permet à Monge d'en mettre plein la vue à ses hôtes, et au romancier de conclure sentencieusement une scène de rodéo particulièrement palpitante : «une fois de plus, le Cow-boy battait les Fermiers» (*ibid.*, p. 50). L'ajout de cette composante française permet donc de produire un super-cow-boy, non seulement sans peur et sans reproche, mais encore astucieux, intelligent, et même fin lettré. Ce qui nous amène à aborder le second volet de notre étude, l'ethnicité chez Maurice Constantin-Weyer.

L'ETHNICITÉ CHEZ MAURICE CONSTANTIN-WEYER

Héritage génétique, pureté de la race, mélange des sangs, voilà autant de thèmes qui reviennent continuellement dans l'œuvre de Constantin-Weyer, sans que le caractère fictif des romans ne constitue un obstacle à ces nombreux passages où l'auteur en profite pour étaler ses théories et convictions sur les différentes ethnies. L'écrivain prône, à temps et à contretemps, l'importance de maintenir la pureté des races et illustre ses propos par une multitude d'exemples où les cas de mariages inter-ethniques mènent à la discorde, sinon à la déchéance de la descendance issue de telles mésalliances. Tous les stéréotypes dévalorisants associés spontanément, dans les milieux populaires, à certaines ethnies sont repris par Constantin-Weyer, tels quels, sans nuance. Même les Français n'échappent pas à ces étiquetages mesquins, car l'auteur prend soin de nous rappeler que cette nation n'est pas homogène et que certains groupes, à l'intérieur de l'Hexagone, participent moins que d'autres à l'excellence octroyée d'emblée au «je» idéalisé derrière lequel se profile le romancier lui-même. Soulignons enfin que ces vocables de race, de sang, de nations ont beaucoup évolué depuis les années 20 et 30, et qu'il ne faut pas stigmatiser à outrance Constantin-Weyer qui les emploie très librement, car à l'époque, on était certes moins sensible aux connotations racistes ou sectaires, devenues virtuellement inévitables de nos jours lorsqu'on utilise ce vocabulaire.

Même si on n'a pas de preuve écrite que le romancier ait lu le comte de Gobineau, il est permis de croire qu'il avait au moins parcouru son *Essai sur l'inégalité des races*, tellement il véhicule dans son œuvre des idées similaires sur les disparités entre les différentes ethnies et l'importance de ne pas mélanger les races au risque d'amoindrir les qualités inhérentes à certains groupes en les soumettant à des influences génétiques diluantes, néfastes même[9].

Dans *Un homme se penche sur son passé*, le narrateur français Monge prend bien soin de préciser, dès le début, que s'il s'amuse à jouer au cow-boy ou à l'Indien, il n'en demeure pas moins de race blanche, sans la «goutte de sang indien» qui donne à son compagnon d'aventure, un Métis nommé Napoléon, un facies à la morphologie amérindienne, c'est-à-dire «les cheveux plats et noirs, les pommettes écartées, et les yeux obliques» (*Un homme...*, p. 11). Un peu plus loin, alors que

Monge et son associé pénètrent dans une forêt, le romancier apporte une précision supplémentaire quant à la nature de l'apport amérindien chez Napoléon : «Chez le Métis, la goutte de sang sioux [...] l'empêcha de goûter la joie que j'éprouvais déjà.» Et l'auteur d'expliquer comment les «sang-mêlé» se sentent esclaves dès le moment où ils ne peuvent plus galoper à cheval dans la prairie, alors que le Blanc narrateur sait, lui, comment chevaucher mentalement dans les forêts les plus denses : «Mais moi, je concevais qu'on peut aussi s'évader en rampant dans les ténèbres.» (*Ibid.*, p. 54)

Mais qu'en est-il de l'héritage européen dont les Métis sont aussi les dépositaires? Il semble que ces derniers, lors du processus de mélange des ethnies, aient acquis surtout les défauts de leurs lointains ancêtres d'outre-Atlantique, puisque, au début de *Vers l'Ouest*, l'auteur émet le commentaire suivant : «ils étaient d'ordinaire bavards, ce qui accusait chez eux la demi-goutte de sang celte» (*Vers l'Ouest*, p. 12). Un personnage issu des îles Britanniques, Smith, pousse à sa limite cette étrange analyse quantitative et aboutit à l'antiphrase suivante : les Anglais sont «les élus de Dieu» (*ibid.*, p. 150), «d'une essence supérieure» (*ibid.*, p. 154), et «chez le Métis, ce n'est pas le sang indien qui fait le sauvage, mais bien le sang français» (*La Bourrasque*, p. 169). Les Métis de langue anglaise trahissent eux aussi leur «origine dominatrice», et poussent encore plus loin l'évaluation de Smith en lui donnant un semblant de symétrie équitable, car «[p]our eux, les Métis français étaient issus de deux races vaincues» (*ibid.*, p. 168).

Par ailleurs, il arrive à l'auteur de prêter à ses personnages métis des sentiments négatifs à l'endroit de leur propre ethnie, l'étape ultime du processus de colonisation où on en arrive à avoir honte des siens et de soi-même, sinon à les rejeter ouvertement[10]. Dans *Vers l'Ouest*, deux femmes métisses renient carrément leur héritage amérindien et clament leur pureté ethnique française, mais le romancier se fait fort de rappeler au lecteur qu'il n'en est rien, de façon à bien montrer le caractère mensonger de ces prétentions, et, partant, leur dimension aliénante.

C'est ainsi que la mère Lespérance «affectait des airs dédaigneux envers les trois quarts des autres femmes, parce que son père était, disait-elle, "un blanc pur", un vrai Françâs des Vieux Pays» (*Vers l'Ouest*, p. 57). Le narrateur s'empresse de nous révéler que le personnage avait «sa bonne moitié de sang peau-rouge», et que les autres femmes métisses n'étaient point dupes du mensonge et disposaient d'un moyen fiable pour faire la lumière sur cette prétendue pureté ethnique :

> Ah! tu peux ben t'en faire accroîère d'ét' la fille d'un Françâs. Je gage que, si te te r'gardais queuque part, là y ousque te sais, te verrais si l'bin Dieu y t'a donné pus de poëls qu'à nous aut'. (*Ibid.*)

Un peu plus loin, la Métisse Flora reprend ce refrain, puisqu'elle «ne pouvait admettre une seconde que le sang d'une grand'mère siouse coulât dans ses veines» (*ibid.*, p. 175).

Dans *La Bourrasque*, qui constitue la suite de *Vers l'Ouest*, Constantin Weyer fait même en sorte que Louis Riel, le chef de la nation métisse, à la fin de son épopée, en arrive à verbaliser, sur le mode du style indirect libre, un réquisitoire accablant contre les siens :

> [...] ils [les Métis] semblaient incapables d'actions autres que celles qu'exige la vie la plus élémentaire : couper du bois, chasser le cerf, trapper les bêtes à fourrure [...] se chauffer, manger, se vêtir [...]. (*La Bourrasque,* p. 219)

Riel en est réduit à douter de lui-même, et à la question «était-il capable d'organisation?», la réponse tombe, sans équivoque : «Sincèrement, non!...» Qui vient de parler : Riel ou le «il» narrateur? Tout de suite, une autre question surgit : dans ces conditions, était-il permis d'entraîner les autres dans une aventure qui risquait fort de mal tourner? Cette fois, il n'y a plus de doute possible sur l'auteur de la réponse :

> Oui, se répondit-il. *Ces enfants de chienne-là* [les italiques sont du romancier] ne pensent qu'à se saouler, à satisfaire leur rut grossier [...]. Qu'importe qu'ils périssent?» (*Ibid.*)

Cet atavisme néfaste résultant du mélange des races, stigmatisé ouvertement dans les deux premiers romans historiques, filtre d'une autre façon dans *Un homme se penche sur son passé*, en montrant au lecteur que les alliances matrimoniales conclues entre des personnes appartenant à des ethnies différentes, sont vouées à l'échec. En somme, si on est conséquent, aussi bien couper le mal à la racine plutôt que de laisser se conclure un mariage duquel résultera une descendance hybride soumise aux démons des sang-mêlé, sans compter les tribulations engendrées par le contact de cultures et de mentalités différentes.

Monge, un Français, personnage principal et le «je» au centre du roman, commettra ce genre de mésalliance en épousant une Irlandaise nommée Hannah O'Molloy, événement qui le fait s'exclamer en ces termes, avant le mariage :

> Mais moi! Juste Ciel! [...] M'imaginez-vous, traînant à ma remorque cette fille aux allures poulinières incapables de faire honneur à une seule des vraies richesses de ce monde, qui étaient miennes : les aubes en écharpe de gaze, les midis d'or, les crépuscules d'opale, etc. (*Un homme...*, p. 71)

Pourtant, Monge décide de l'épouser, mais le jour même du mariage, le jeune époux s'inscrit en faux contre un commentaire du célébrant, le révérend père Mac Mahon :

> Il se plut, — sans égard pour mon sang lorrain pensai-je, — à affirmer que les Français et les Irlandais appartiennent au même sang celte. (*Ibid.*, p. 148)

Quelques paragraphes plus loin, quitte à concéder une quelconque influence celte qui expliquerait son penchant pour la rêverie, il revient à la charge afin d'exalter ses origines franques d'où il tire son goût pour l'action :

> [...] je retrouvais en moi, avec le sens d'une discipline innée, cette passion de la vie qui se traduit par l'action. Peut-être étais-je aussi rêveur que tous les Celtes réunis. Mais mes rêves, mes rêves de fils de la race franque, étaient des rêves d'action. Agir! agir! agir! (*Ibid.*, p. 154)

Lorsque Monge doit se rendre à l'évidence que sa femme le trompe avec l'Irlandais Archer Joyce, il se voit contraint de divorcer et tire la conclusion suivante, sur un ton sentencieux : «Après tout, Hannah était retournée vers l'homme de sa race... C'était humain, tristement humain!» (*Ibid.*, p. 156)

Son compatriote Durand aurait commis le même genre de mésalliance en épousant la sœur de Hannah, Magd, s'il n'avait trouvé la mort lors d'une expédition dans le Grand Nord. Mais ce mariage projeté était très mal vu par Monge :

> Ainsi, Paul Durand, qu'aucun lien social, ni intellectuel, — et pas même le fil national (si fragile!) — ne reliait à cette jeune Irlandaise, qui ne savait pas un mot de sa langue, voulait à toute force souder sa vie à celle de cette donzelle! (*Ibid.*, p. 71)

Dans *Un sourire dans la tempête*, la combinaison des ethnies est quelque peu différente, et après la mort du Français faiblard Mercier, époux de la Danoise Ragnar, lors d'une interminable expédition toujours, en tenant compte des origines franques du «je» narrateur, le triangle est formé de trois protagonistes avec un héritage génétique nordique, avec du «sang» germanique, puisque l'agent Spenlow est d'origine anglo-saxonne. Ce dernier, comme il sied à un véritable gentleman, sentant qu'il ne terminerait pas la course, s'efface noblement et marche volontairement vers une mort certaine en feignant une banale promenade dans les steppes glacées. Il est révélateur que Lengrand (le narrateur au «je») se propose à Ragnar sans réticence aucune quant au mélange des «sangs», bien au contraire, ce qui nous amène à penser qu'il existe, aux yeux du romancier, des ethnies nobles, et d'autres moins prisées avec lesquelles il est préférable de garder ses distances, tels les Autochtones :

> Je ne comptais pour rien ces beautés esquimaudes... Il existe un antagonisme racial. [...] Je savais que, même quand un Blanc et une femme rouge, esquimaude, ou métisse s'unissent, un drame naît dans leur vie. (*Ibid.*, p. 14)

Suit un long plaidoyer où le romancier énumère toutes les embûches possibles et imaginables résultant d'une pareille mésalliance, telles une incompréhension chronique, la méfiance, la jalousie, lesquelles font peu à peu place à l'amertume, à la haine et au mépris, comme si l'endogamie constituait une garantie d'harmonie et d'amour perpétuelles! Poussé par on ne sait trop quel sursaut de magnanimité, le narrateur Lengrand prend à son service une de ces femmes aborigènes, «[m]algré le dégoût que j'avais des femmes esquimaudes», prend-il bien soin de préciser, pour se faire confectionner des vêtements de peau, chez lui, et non pas chez elle, ainsi qu'elle l'aurait souhaité : «Merci! elle me les aurait rapportées pleines de vermine.» (*Ibid.*, p. 57) Pareil commentaire en dit long sur la piètre estime du narrateur pour ces femmes indigènes, à des années-lumière de la belle Danoise Ragnar. Comme quoi toutes les ethnies ne sont pas égales pour le romancier, tant s'en faut!

Dans *Cinq Éclats de silex*, le narrateur du conte intitulé «La Nausicaa du Mackenzie», après avoir épousé une jeune vierge indienne, pour diverses raisons, décide de l'abandonner, à la façon d'un parfait goujat, en s'enfuyant après l'avoir ligotée et bâillonnée sur son lit. Avant d'accomplir ce geste ignoble, il a ce commentaire empreint d'une totale muflerie : «Me voyez-vous traînant Nausicaa dans des milieux civilisés? J'en riais seul et tout haut, tandis que je franchissais la porte.» (*Cinq Éclats...*, p. 72) Pire encore, ce récit dégage d'indéniables relents autobiographiques, puisque Constantin-Weyer a abandonné au Canada sa femme métisse, Dina Proulx, ce qui ne l'empêcha pas de se remarier en Europe[11].

Bien peu d'ethnies sont épargnées au palmarès des stéréotypes dévalorisants, qu'il s'agisse de traits physiques ou moraux. Les nations européennes, notamment, sont souvent résumées par une formule brève dont on perçoit instantanément le caractère réducteur, quand ce n'est pas la pertinence même du propos qui est en cause. Voyons comment Constantin-Weyer étiquette les principaux groupes ethniques qui débarquent du train pour participer à la colonisation de l'Ouest canadien :

> [...] les Islandais aux larges fronts, les Norvégiens longs et souples, les Anglais toujours affamés, les Écossais avares et actifs, les Irlandais batailleurs et ivrognes, les Allemands entêtés et persévérants, et enfin les Bretons, aux costumes archaïques [...] et dont les Métis se moquaient, pour leur saleté, pour leur routine et pour leur ivrognerie bruyante et sans limite. (*La Bourrasque*, p. 193)

Ces listes de nationalités reviennent souvent et sont présentées de différentes façons. Au début d'*Un homme se penche sur son passé*, encore une fois, Constantin-Weyer se sert d'un personnage pour esquisser ses caricatures, et c'est un Canadien français qui nous sert de guide pour décrire, d'une façon quelque peu simpliste et sans aménité, les comportements et les tenues vestimentaires des groupes ethniques venus «de tous les coins de la terre. Cà a-t'il du bon sens?» :

> [...] des Bretons, quequ'chose de dépareillé! avec leurs habits
> de velours brodé et leurs chapeaux plats à rubans, des
> Mennonites, encore une espèce de Russes qu'on appelle les
> Doukhobors; des Canayens comme moié; des Français
> comme toié, mais plus bêtes; des Anglais des Vieux-Pays,
> en culottes courtes; y-z'ont l'air fins, tiens! ceux-là! (*Un
> homme...,* p. 18)

Quelques pages plus loin, l'auteur-je prend la relève et complète ces esquisses avec une approche plus sophistiquée
d'historien et de sociologue, mais l'optique est encore plus
méprisante. Le dénigrement des Bretons prend des propor-
tions injurieuses; quant aux Doukhobors, la charge se termine
par un éloquent «Ils nous dégoûtèrent» (*ibid.*, p. 22-23). Le
ton change radicalement lorsque vient le moment de présenter les immigrants «d'origine anglaise, écossaise, irlandaise»,
venus de l'Ontario : une «immigration de bon aloi», s'exclame
le narrateur (*ibid.*, p. 25). Suit la description de leurs fermes,
digne d'un décor d'opérette, avec des cottages fraîchement
peints, des jardins bien entretenus, une alimentation saine,
des fermières propres, en somme un heureux contraste susceptible de dissiper «le souvenir des Bretons, des Doukhobors et
des Mennonites», de conclure l'auteur (*ibid.*, p. 26). Cette
approche métonymique où l'on établit une équivalence entre
l'apparence de la ferme et ses habitants est encore reprise au
mitan du roman, alors qu'on nous présente le «bungalow
blanc» de Mason le riche «venu d'Ontario avec des puissants
moyens», la «maison en billots écorcés» du Canadien Laflèche,
qualifiée de «blafarde», les attelages impressionnants des
Écossais qui se prêtent «une assistance mutuelle — mais avec
intérêts» pour aboutir au domaine du Français Paul Durand,
confié à la garde d'une famille bretonne, les Le Floch, qui ont
réussi à «faire de la propre et luisante cabane de Paul Durand
cette masure sordide, sale et irrémédiablement empuantie[12]»
(*ibid.*, p. 130-134).

Ce parti pris pro-anglais ne doit pas nous étonner, quand on sait quelle importance l'auteur attachait à ses origines germaniques franques. Il a d'ailleurs longuement disserté sur les motifs qui lui ont fait admirer les Anglo-Saxons dans un chapitre intitulé «Le poème de l'étonnante réussite anglo-saxonne» et inséré dans l'ouvrage *Manitoba* (p. 75-86).

Pour ce qui est des Français, quelques distinctions s'imposent. Il ne sont pas tous de la même trempe, puisque le narrateur-je qui incarne le super-Français est souvent confronté à d'autres compatriotes qui lui sont toujours inférieurs. Mais le Français, considéré *in abstracto*, hormis quelques brocards habituellement servis par des anglophones, est pourvu de toutes les qualités traditionnellement associées à la France, comme le bon goût, le raffinement gastronomique et la débrouillardise. Cet ethnocentrisme apparaît dans toute son ampleur lorsque le romancier s'évertue à souligner l'apport positif de l'héritage français chez Louis Riel, hélas trop souvent dilué par la «goutte de sang» amérindien, selon l'auteur.

Puisque Constantin-Weyer privilégie le récit à la première personne, il prend toujours soin de retracer les antécédents génétiques du «je», un Français d'origine lorraine, ainsi qu'il le mentionne dans *Un homme se penche sur son passé* (p. 148), de même que dans *Telle qu'elle était en son vivant*, cette fois avec une note de vanité qui confine à la puérilité : «Il me vint tout naturellement à l'esprit, qu'étant Lorrain, [...] mieux valait prendre exemple sur le noble gibier de mes forêts natales, le sanglier, que sur le cerf.» (p. 94) Cette spécificité met le narrateur-auteur dans une catégorie à part par rappport aux Français ordinaires, descendants des Gaulois dont ils ont hérité la kyrielle de défauts associés aux Celtes et que Constantin-Weyer se fait fort de compiler, en les attribuant d'abord à l'Irlandais Archer Joyce, pour ensuite expliquer que les Gaulois partageaient ce bagage hériditaire :

> C'était un de ces Celtes indisciplinés, rebelles, batailleurs et
> hâbleurs, comme il en existe depuis des générations. [...]
> C'était bien là les frères de ces Gaulois anarchistes et bavards,
> toujours en guerre entre eux, avec leurs voisins, et prêts à
> fomenter les intrigues les plus imprévues. (*Un homme...*,
> p. 51-52)

À cet apport génétique ennoblissant, il faut ajouter une éducation soignée caractéristique des fils de bonne famille issus
des milieux aisés français. Le narrateur s'y prend de différentes façons pour révéler au lecteur que, derrière l'aventurier
qui raconte ses folles équipées, se cache un intellectuel qu'un
mauvais coup du sort ou un simple concours de circonstances
ont amené au Nouveau Monde. Paul Monge, d'*Un Homme se
penche sur son passé*, nous met sur la piste dès le début du
roman, alors que Lengrand d'*Un sourire dans la tempête* dévoile son passé d'une façon dramatique, à la fin du récit, en
expliquant à la belle Ragnar comment son père, professeur de
lettres à l'Université de Paris, l'avait chassé de la maison à la
suite d'une signature contrefaite. Des indices disséminés dans
le roman complètent la fiche signalétique, tel ce détail fourni
par le narrateur français Louis Walderfin dans *Telle qu'elle était
en son vivant* : «ma culture de jeune Français de bonne
famille» (p. 36). «J'ai été blessé profondément, à l'âge de seize
ans, en traduisant je ne sais plus quel passage de Platon [...].»
(p. 78)

Justement, l'auteur ne perd jamais une occasion de nous
montrer, dans les circonstances les plus inattendues, que son
personnage principal a fait ses humanités gréco-latines. Avant
de partir à l'aventure, Monge glisse dans sa poche de son anorak un «petit Suétone aux pages maculées», «sans respect pour
sa valeur bibliophilique» (*Un homme...*, p. 75), quitte à réciter
par cœur, un fois perdu dans les steppes glacées, «le début de
la première églogue [de Virgile]», afin de se redonner courage
(*ibid,*. p. 88). Il y a fort à parier que dans toute l'histoire de
l'Ouest canadien et du Grand Nord, bien peu de ces voya-

geurs aient entrepris pareille expédition avec une telle littérature en poche.

Il faut noter que les lectures et les livres qu'on commande ou trimballe avec soi servent de tamis pour distinguer les Français ordinaires et les autres personnages du narrateur. Monge dresse le catalogue de sa bibliothèque personnelle, où les poètes et romanciers anglais occupent une place fort importante, aux côtés du *Discours de la méthode* de Descartes et des *Douze Césars* de Suétone, comme Spencer, Marlowe, Shelley, Milton, Kipling et «tout ce qu'on peut se procurer à Winnipeg d'Hazlitt» (*ibid.*, p. 60-61). Et que trouve-t-on dans la bibliothèque de Paul Durand, originaire de la Touraine et compagnon d'aventures de Monge? Zola, Prévost, Loti «et les poésies complètes d'Alfred de Musset». Et le romancier de porter un jugement assassin et prétentieux sur ces titres : «Goût de petit bourgeois français qui va avec celui du vin, de la soupe et des viandes en sauces!» (*Ibid.*, p. 60) Le même procédé sert à hisser Lengrand au-dessus de l'agent de police Spenlow, qui est émerveillé de trouver des ouvrages en latin dans la bibliothèque du Français, notamment «un Salluste défraîchi» (*Un Sourire...*, p. 12). Quand Lengrand visite à son tour Spenlow, ce dernier est en train de lire un roman. «Un roman policier, naturellement», ne peut s'empêcher d'ajouter l'auteur (*ibid.*, p. 26).

Quant à l'autre Français qui partage la distribution, Louis Mercier, il était «indélébilement Lyonnais», tellement qu'il émanait de sa personne «une odeur de soie grège» (*ibid.*, p. 54). Et ce personnage fournit à l'auteur l'occasion de développer un autre aspect de sa théorie génétique, sans que le mélange des sangs n'intervienne, mais uniquement le facteur socioéconomique, puisque dans le cas de Lemercier, ce sont des ancêtres patrons qui ont entraîné la dégénérescence de la descendance :

> Pour tout dire, je sentais en lui une fin de race. Il payait, par sa faiblesse, la dureté de toute une lignée de grands patrons, durs aux pauvres gens. C'est un étrange phénomène que ces races autoritaires finissent toujours dans la mollesse et l'indécision. Surmenage héréditaire, sans doute! (*Ibid.*, p. 50)

Un peu plus loin, Lengrand en rajoute et remet sur le compte de l'hérédité la faiblesse de Mercier qui l'irrite au plus haut point, comme l'illustre la métaphore du calicot : «Mercier me choquait. À vivre naguère parmi les employés de son père, il avait acquis — et sans doute l'hérédité l'y avait-elle aidé — un certain genre calicot.» (*Ibid.*, p. 65)

Un autre Français, d'origine parisienne celui-là, apparaît vers le milieu d'*Un sourire dans la tempête*, et c'est Paname, le tenancier d'une buvette destinée à étancher la soif des chercheurs d'or. Il est présenté d'une façon laconique mais de manière à bien faire voir que ses compatriotes n'ont pas tous la même valeur à ses yeux : «un Français, comme Mercier et Moi. Mais tout de même assez différent. Un Parisien, et, plus exactement un "parigot".» (*Ibid.*, p. 101) Un original, plein de tics, mais qui ne faisait pas le poids avec Lengrand.

Dans les circonstances, il ne faut pas s'étonner outre mesure que l'auteur se soit arrangé pour faire disparaître ces êtres faibles ou médiocres, dans une démarche qu'on pourrait presque qualifier d'eugénique, de façon à produire une démonstration des théories génétiques obsessionnelles de l'auteur. C'est ainsi que Durand, Spenlow, Mercier et Paname vont périr, victimes du Nord et du froid implacable, trop faibles, mal armés qu'ils étaient pour tenir tête à un adversaire aussi redoutable, alors que les narrateurs français d'une essence supérieure, Grandjean et Monge, vont triompher de la mort.

On trouve aussi quelques traits dirigés contre les Français en général, mais formulés par des anglophones et d'une façon tellement caricaturale que l'injure perd de la crédibilité et prend l'allure de ces effronteries qu'on s'administre, d'une ethnie à l'autre, telles ces formules extraites d'*Un sourire dans la tempête* :

> Tous les Français sont des mécréants. (p. 16)
> Les Français ont la réputation de ne pas respecter les femmes. (p. 30)
> Scandaleux mais bien français. (p. 35)
> Comme tous les Français, vous n'êtes pas sérieux. (p. 86)

Pour faire contrepoids à ces accusations mesquines, Constantin-Weyer a recours à l'arsenal classique des qualités dites françaises, comme le bon goût dans la tenue vestimentaire et l'art de se comporter avec les femmes. Dans *Un homme se penche sur son passé*, le Français Monge donne à sa femme d'un temps, l'Irlandaise Hannah O'Molloy, un véritable cours sur la façon d'assortir ses vêtements et de choisir les tons en tenant compte de la couleur des yeux et des cheveux, avec des aphorismes du genre : «Ce n'est pas la robe qu'on doit voir, mais la femme. Croyez-en un Français. Notre pays a un génie pour ces choses-là.» (*Un homme...*, p. 170) L'expertise de Monge est même mise à profit pour les vêtements de dessous et il réussit encore là à convaincre l'Irlandaise d'opter pour le linge blanc, et cette autre victoire est célébrée, elle aussi, par un vibrant cocorico : «les couleurs furent rayées de la liste. Le goût français triomphait.» (*Ibid.*, p. 173) Difficile d'imaginer plus cocardier et chauvin!

Enfin, les particularités et variantes linguistiques propres au Nouveau Monde sont utilisées pour conférer une touche d'authenticité au récit. Ainsi, Constantin-Weyer parsème généreusement ses textes de vocables tirés des langues amérindiennes, sans oublier les anglicismes, une composante nécessaire pour donner une tonalité «ouestrienne» au récit. Encore là, le romancier ne peut résister à son penchant pour les commentaires méprisants, à l'endroit des Métis et les Canadiens français notamment. Notons que ces insertions sont pratiquées avec une utilisation de toutes les ressources offertes par la métalangue.

La façon de procéder la plus simple consiste à fournir l'équivalent, en français standard, en le mettant en apposition ou précédé d'un présentatif comme «c'est-à-dire», «comme on dit» :

chinook, ce vent chaud du sud-ouest (*Vers l'Ouest*, p. 171);
le «pichou» et le «foutreau», c'est-à-dire le lynx et le vison (*ibid.*, p. 177);
le roulait, le «bittait», comme on dit en canadien (*La Bourrasque*, p. 172).

Les parenthèses sont cependant plus utilisées, qu'il s'agisse de fournir un synonyme en français général ou de traduire une phrase complète inscrite d'abord dans la langue des Cris :

douze piastres (ou dollars) par mois (*ibid.*, p. 32);
les gophers (les marmottes tigrées) (*Vers l'Ouest*, p. 125);
– Outchiemine kishpine shakine (Embrasse-moi, si tu m'aimes). Elle répondit : – Nipeuchine! (J'ai honte!) (*Ibid.*, p. 63)

Fréquemment, l'équivalent donné entre parenthèses est accompagné d'un présentatif consistant en un verbe élocutoire, comme «dire», «appeler», ou d'une note sur l'origine du mot :

le péché d'édulklère (elle voulait dire d'adultère) (*ibid.*, p. 74);
m'a coaxée (de l'anglais *to coax* : séduire) (*ibid.*, p. 180).

Soulignons que dans *Un sourire dans la tempête*, les parenthèses ont été remplacées par des tirets, mais que ces derniers jouent strictement le même rôle :

Malgré mon épais vêtement esquimau – mon anorak pour lui donner son nom (*Un sourire...*, p. 191);
nos moufles – nos mitaines comme on dit au Canada (*ibid.*, p. 201).

Le procédé des parenthèses fonctionne dans les deux sens, du français canadien au français général, et vice versa :

> poudrerie (chasse-neige) (*Vers l'Ouest*, p. 113);
> chasse-neige (poudrerie) (*ibid.*, p. 159).

Et puisque le lecteur est bien au fait de la signification de chasse-neige, plus loin, il est employé seul (*ibid.*, p. 168).

Dans *La Bourrasque* et *Manitoba*, le romancier ajoute une dimension à ses explications de nature linguistique grâce à un système de renvois numérotés, un procédé un peu distrayant, mais propre à donner encore plus d'autorité à ses commentaires, même si ces derniers ne sont pas toujours orthodoxes, comme cette note qui accompagne la phrase «Tu nous badres» : «Ennuies, de l'anglais *Bother.*» (*La Bourrasque*, p. 91)

À l'occasion, l'auteur ne peut résister à la tentation de nous transmettre ses connaissances sur l'origine de certains mots ou usages, sous forme d'explications parfois longues, insérées dans le texte même du roman, qu'il s'agisse des jurons métis (*ibid.*, p. 25), du mot «best man» (*Vers l'Ouest*, p. 20) ou du prénom d'origine scandinave Ragnar (*Un sourire...*, p. 44).

Pour faire couleur locale, Constantin-Weyer fait s'exprimer chaque ethnie dans une langue française — il faut bien être compris des lecteurs — plus ou moins marquée par l'idiome original. C'est ainsi que les Amérindiens parlent parfois dans leur langue, aussitôt traduite, mais la plupart du temps, ils parlent un français normalisé, avec une syntaxe simplifiée, où subsistent des images (traduites) et quelques mots en langue sioux ou crie :

> – Ni toi, ni moi, ne savons ce qu'il y a dans les prairies bien-heureuses [...]. Il est venu un envoyé matchi [...] (il voulait dire méthodiste [...]). (*Vers l'Ouest*, p. 27)

Le Canadien français, s'il n'appartient pas au clergé, tel le Baptiste Lenrhumé d'*Un sourire dans la tempête*, s'exprime en un français caractérisé par une transcription phonétique de certains traits de prononciation et quelques archaïsmes :

> – M'sieur! c'est de valeur, ben de valeur! d'être en un poste aussi ennuyant que celui-cite. La Longue Année qu'on y dit [...] Saprément longue ! [...]. (*Un sourire...*, p. 231)

Le Métis parle un français encore plus marqué par les amérindianismes et les anglicismes :

> – j'voudrais ben savoir quoiqu'c'est qu't'as comme garantie pour payi. C'vieux Mac, y travaille pas pour rien. Il lui faut d'l'argent pour boire et d'la grub pour se fider (de la nourriture pour manger). (*Vers l'Ouest*, p. 40)

Pour ce qui est des protagonistes anglophones, hormis quelques mots du cru comme «overall» (*Un homme...*, p. 169), «improper» (*Un sourire...*, p. 231), ou traduits littéralement avec une note de métalangue : «ce que Bennett appalait le "parloir"» (*ibid.*, p. 230), Constantin-Weyer a opté pour un français transposé mot à mot de l'anglais, ce qui présente l'avantage de ne poser aucun problème de compréhension, encore qu'il faille une connaissance minimale de l'anglais pour apprécier l'astuce :

> – Bonne chance à lui! dit Hannah [...]
> – Damnation! personne n'osait plus remuer la main sans demander conseil à cet enfant de fusil! [...]
> – Vous êtes Jack-de-tous-les-métiers! (*Un homme...*, p. 144-145)

> Pourtant, je veux être damné si vous n'êtes pas un bon garçon. (*Un sourire...*, p. 12-13)

Notons que les insertions dont nous venons de fournir un échantillonnage ne sont pas constantes et que, fréquemment, le français standard reprend ses droits, quitte à produire une certaine incohérence et des invraisemblances sur le plan du discours direct; en revanche, le lecteur profite de l'accalmie d'une prose plus homogène et, somme toute, plus facile à parcourir.

Quant aux personnages d'origine française, ils s'expriment en français général, hormis peut-être ce tenancier de bar qui parsème sa conversation de termes d'argot, ce qui fait dire à son compatriote en même temps que personnage principal du roman : «Il y avait bien peu des auditeurs de Paname qui comprissent le français – surtout le français de Paname!» (*Ibid.*, p. 167)

Si l'auteur se permet ce genre de commentaire prêté au personnage principal, par ailleurs, il ne se gêne nullement pour formuler des jugements de valeur sur les autres langues ou variantes linguistiques régionales. Si les langues amérindiennes sont qualifiées de musicales et de délicieuses aux oreilles (voir *Vers l'Ouest*, p. 68), par contre l'idiome des Métis francophones est stigmatisé en ces termes :

> un parler français grossier, informe, rude, gauche, tronqué, hérissé d'idiotismes, d'anglicismes, d'indianismes, et, somme toute, contenant en soi tout l'essentiel de notre langue. (*La Bourrasque*, p. 18)

Dans *La Bourrasque* toujours, on trouve ce commentaire à propos des Canadiens français d'origine québécoise : «dans le français gras et traînant du Bas-Canada» (*ibid.*, p. 91), un jugement négatif développé dans *Manitoba*, à propos du français parlé au Bas-Canada, aujourd'hui le Québec :

> On y parle un français qui, quoi qu'on en dise, manque de pureté. Il vient directement de la source, mais d'une source un peu trouble, qui a dissous dans son cheminement souter-

rain le sel de tous les patois de la côte française de l'Atlantique; des mots anglais, des mots indiens y sont tombés; leur saveur n'était pas désagréable, on n'a pas filtré l'eau. (*Manitoba*, p. 89-90)

Ce genre de commentaire ayant été plutôt mal reçu au Canada français, où l'on a eu l'impression d'avoir été caricaturés par Constantin-Weyer, ce dernier, peut-être pour atténuer la mauvaise impression ainsi créée, dans *Un homme se penche sur son passé*, fait faire au personnage principal un détour tout à fait gratuit dans la vallée du Saint-Laurent, ce qui lui fournit l'occasion d'entendre ce «délicieux accent canayen». Le romancier pousse la magnanimité jusqu'à louer la beauté physique de ces «fils des provinces de l'Ouest de la France, vrais descendants du sang des Normands, osseux et musclés, gigantesques, et d'une force à la fois souple et nerveuse». Quant au «jargon métis», l'auteur tourne casaque et y voit un idiome où «les mots crees, chippewayan, ou sauteux» peuvent «donner un relief extraordinaire à [la] pensée» (*Un homme...*, p. 118-119). Voilà qui s'appelle faire amende honorable, quel qu'ait été le motif de cette volte-face.

CONCLUSION

Malgré tout, Maurice Constantin-Weyer occupe une place de choix au Panthéon des lettres françaises de l'Ouest canadien. Ses romans et ses ouvrages à caractère historique, s'ils manquent trop souvent de rigueur, n'en portent pas moins la marque d'un raconteur adroit, qui sait maintenir l'intérêt du lecteur. De plus, ils sont remplis de détails sur la flore, la faune, les habitants de cette portion de continent, le résultat de multiples observations faites sur le terrain et rapportées d'une façon vivante et imagée.

Le Nouveau Monde est présenté d'une façon mythifiée, avec une singulière économie de moyens, notamment par une évocation de phénomènes naturels ou atmosphériques repris inlassablement. Tout en déplorant cet autoplagiat, il faut noter que ces redites apparaissent lors de lectures synoptiques des différentes publications de l'écrivain; sans doute l'auteur a-t-il sous-estimé le succès qu'allait connaître son œuvre, sans quoi il se serait mieux protégé contre ces analyses comparatives.

Quant aux innombrables allusions aux groupes ethniques, plus souvent qu'autrement désobligeantes, elle requièrent de la part du lecteur une mise en contexte, particulièrement à notre époque où la rectitude politique proscrit tout à fait pareil discours. Cette précaution s'impose; autrement, certains passages sur la pureté de la race et sur les influences néfastes attribuées à l'hérédité risquent de passer pour carrément odieux. L'ethnocentrisme français de l'auteur correspond sans doute à une idéologie qui s'est elle aussi atténuée au fil des ans. Quoi qu'il en soit, ce parti pris chauvin est empreint d'une telle candeur, d'une telle ingénuité qu'on ne peut qu'en sourire aujourd'hui, même si ce «moi», invincible et supérieur, qui occupe l'avant-scène de certains de ses romans, finit parfois par agacer.

Maurice Constantin-Weyer demeure un auteur important parce qu'il a fait entrer l'Ouest canadien dans la littérature française grâce à une série de titres qu'il est convenu d'appeler l'«Épopée canadienne», à une époque où la littérature canadienne-française — on ne parlait pas encore de littérature québécoise — en était encore à se définir par rapport à celle de la métropole. Puisque nous évoquons une période relativement reculée, il ne faut pas s'étonner outre mesure si une partie de l'idéologie et certains traits de l'écriture weyerienne nous paraissent aujourd'hui démodés. Le Prix Goncourt qu'on lui décerna en 1928 pour *Un homme se penche sur son passé*, un passé qui eut pour théâtre les Prairies et le Grand Nord canadien, faut-il le rappeler, consacra le talent de l'auteur. Mais plus encore que cette distinction honorifique, ce qui montre la valeur de son œuvre, c'est qu'elle continue de susciter l'intérêt des critiques et des littéraires. À preuve ce numéro thématique des *Cahiers franco-canadiens de l'Ouest*, paru au printemps de 1989, consacré exclusivement à Maurice Constantin-Weyer[13], et cette thèse qu'a soutenue il y a un certain temps Donald Aldéric Loiselle de l'Alberta, portant sur «Le portrait de l'indigène dans l'œuvre canadienne de Constantin-Weyer». Que les études et analyses se poursuivent toujours à propos de l'œuvre de Maurice Constantin-Weyer accomplie il y a trois quarts de siècle, voilà qui témoigne éloquemment de la réussite d'un écrivain, parfois brouillon, fumiste à ses heures, souvent sectaire, mais exceptionnellement doué.

Notes

1   Au sujet de l'immigration des Français dans l'Ouest canadien, on consultera avec profit la recherche effectuée par Robert Painchaud : «Les origines des peuplements de langue française dans l'Ouest canadien, 1870-1920 : mythes et réalités», dans *Mémoires de la Société royale du Canada*, quatrième série, tome XIII, 1975, p. 109-121.

2   Concernant les succès et les échecs de l'implantation des Français dans l'Ouest canadien, on se reportera à l'ouvrage de Donatien Frémont : *Les Français dans l'Ouest canadien*, Saint-Boniface, Éditions du Blé, 1980, 192 p.

3   Roger Motut, *Maurice Constantin-Weyer écrivain de l'Ouest et du Grand Nord*, Saint-Boniface, p. 11.

4   Données bibliographiques des titres utilisés : *Vers l'Ouest* (1921), Paris, Renaissance du livre, 1929, 251 p.; *Manitoba* (1924), Paris, Les Éditions Rieder, 1928, 135 p.; *La Bourrasque*, Paris, Les Éditions Rieder, 1925, 249 p.; *Cinq Éclats de silex* (1927), Paris, J. Ferenczi & Fils, 1932, 170 p.; *Un homme se penche sur son passé* (1928), Paris, Les Éditions Rieder, 1929, 228 p.; *Un sourire dans la tempête* (1934), Saint-Boniface, 1982, 243 p.; *Telle qu'elle était en son vivant* (1936), Éditions du Livre de poche, n° 4185, 1975, sous le titre de *La Loi du Nord*, 220 p.

5   Il ne faudrait pas croire que l'auteur a renoncé à ce type de description parce qu'il fait montre de plus de sobriété dans *Un*

sourire dans la tempête. À preuve, cette description de l'automne tirée de *Telle qu'elle était en son vivant,* roman postérieur au précédent de deux ans, d'une facture analogue au passage extrait de *Vers l'Ouest* cité dans le texte de l'analyse : «L'écorce blanche de leurs troncs [les bouleaux] s'opposait à la teinte carminée des rameaux et les feuilles, par un caprice de la nature, n'étant pas encore tombées malgré l'époque tardive et les gelées, la neige et le givre y jouaient un merveilleux amoncellement d'or, d'argent et de pierres précieuses.» (p. 82)

6   Avant Constantin-Weyer, Louis-Frédéric Rouquette a évoqué le phénomène du mercure qui se solidifie dans le thermomètre sous l'action du froid, dans *Le Grand Silence blanc* (1921), Paris, J. Ferenczi & Fils, 1935 : «les froids noirs où le mercure gèle dans le thermomètre» (p. 163); « – Quand vous contempleriez jusqu'à demain votre thermomètre, vous ne le feriez pas monter d'un dixième, vous voyez bien qu'il est gelé à bloc.» (p. 175)

7   Louis-Frédéric Rouquette, dans ses descriptions de la faune, utilise le même procédé en prêtant aux animaux des comportements humains (*Le Grand Silence blanc,* p. 158-160).

8   On trouve le même discours «conservationniste» dans le roman *Tchipayuk* de Ronald Lavallée (Paris, Albin Michel, 1987, 504 p.), alors qu'une vieille Indienne enjoint un jeune Métis de respecter non seulement la vie animale car «les animaux ont droit à la vie [...], au respect» (p. 181), mais aussi les végétaux : «Attention, ne blesse pas inutilement les arbres.» (p. 156)

9   Au sujet de l'influence présumée de Gobineau sur Constantin-Weyer, on consultera Roger Motut, *Maurice Constantin-Weyer,* p. 153.

10   C'est le phénomène qu'Albert Memmi a illustré par les formules de la «négrophobie du nègre» et de «l'antisémitisme des Juifs». Cf. *Portrait du colonisé,* Paris, Petite Bibliothèque Payot, 1973, p. 150.

11   Voici en quels termes Donatien Frémont résume cette mésaventure matrimoniale : «De son mariage avec Dina Proulx, l'auteur de l'épopée canadienne eut trois enfants : une fille et deux garçons, dont le dernier, né après le départ de son père pour l'armée, mourut à l'âge de cinq ans. La grand'mère emmena les deux autres en France en 1919. Quant à la mère de ces enfants, on ne l'a pas jugée digne de traverser l'océan. Elle est aujourd'hui à Winnipeg, vivant de la charité publique.» *(Sur le ranch de Constantin-Weyer,* Winnipeg, Éditions de la «Liberté», 1932, p. 32-33.)

12   Cette hargne envers les Bretons s'explique : pendant son séjour au Manitoba, l'auteur avait loué sa ferme à trois Bretons, et l'entente avait tourné au vinaigre. Cf. Donatien Frémont, *ibid.*, p. 23.

13   *Cahiers franco-canadiens de l'Ouest*, vol. 1, n° 1, printemps 1989, 163 p. Publiés par le Centre d'études franco-canadiennes de l'Ouest (CEFCO), Collège universitaire de Saint-Boniface, Manitoba.

Propagande, mythe et utopie dans la littérature franco-américaine

DANS LES LITTÉRATURES régionales ou en émergence, la préoccupation esthétique, si elle n'est pas carrément reléguée au second plan, est fréquemment mise au service de la fonction identitaire. Dans ces conditions, certains écrivains se servent du lieu littéraire pour brosser un portrait plus ou moins fidèle d'une communauté donnée, laquelle y trouvera des adjuvants lui permettant de se mieux définir. Lorsque le style ou l'art d'écrire ne sont plus les seuls en cause, une interprétation simple du récit fictif ne suffit plus et une analyse au second degré s'impose.

Les romanciers, poètes ou dramaturges n'étant ni des sociologues ni des journalistes, la transposition devient pour eux une seconde nature, surtout que la «littérarité» de leur production sera au moins partiellement évaluée en fonction de la transformation qu'ils auront fait subir à la réalité qui les a inspirés, à la façon des peintres dont on évalue le talent à la manière dont ils ont transformé le paysage reproduit sur leur toile. À partir du moment où l'écrivain décide d'adopter une optique particulière, comme le photographe qui adapte un filtre à l'objectif de son appareil, deux options de base, mais opposées, s'offrent à lui : soit qu'il embellisse la réalité, soit qu'il la présente sous un jour sombre, pour des motifs divers, dans un cas comme dans l'autre.

À titre d'exemple de transposition négative dont la société franco-américaine a été l'objet, on peut citer le cas de

Grace Metalious, une Franco-Américaine du New Hampshire, née de Repentigny, et de son roman *No Adam in Eden*, paru en 1963[1]. Dans cet ouvrage, la romancière a repris les décors et les figurants dont elle s'était servie dans son roman *Peyton Place*[2], c'est-à-dire l'univers clos d'une petite ville de province, avec un goût prononcé pour les intrigues et les amourettes de High School, en y ajoutant cette fois l'ingrédient des chassés-croisés amoureux encore plus sulfureux, sur fond d'intrigues teintées de criminalité, et la dimension ethnique. En effet, les Franco-Américains, à peine mentionnés dans *Peyton Place*, occupent l'avant-scène, puisque nous voyons évoluer, dans *No Adam in Eden*, trois générations de femmes, d'ascendance «franco», dont les comportements sont pour le moins discutables, particulièrement pour les deux premières générations. Qu'une écrivaine présente ses compatriotes avec si peu d'aménité n'a pas de quoi étonner outre mesure, et une telle attitude est typique d'une personne colonisée qui peut en arriver à mépriser les siens, un syndrome qu'Albert Memmi a illustré par sa célèbre formule de «la négrophobie du nègre» et «l'antisémitisme du Juif[3]». Grace Metalious se dédouane à bon compte en faisant débiter ses propos francophobes par des Américains bon teint, et en aspergeant copieusement de ses brocards racistes d'autres ethnies, les Italiens notamment. Il ne faut pas être dupe de cet artifice qui, tout en ne trompant personne, cantonne la romancière dans la catégorie des fabricants de romans populaires.

PROPAGANDE ET ROMAN À THÈSE

La transposition dans l'autre sens, au premier degré, peut être assimilée à la propagande, tel le roman *Jeanne la fileuse* écrit par Honoré Beaugrand et paru pour la première fois en 1875[4]. Il n'y a ici aucun doute possible, puisque le romancier-journaliste dévoile clairement ses intentions dans la préface de la première édition de son roman, prévenant ses lecteurs que, sous le couvert de la fiction, il veut faire contrepoids aux propos négatifs entretenus à propos des Franco-Américains et de leurs conditions de vie de l'époque :

> Le livre que je présente aujourd'hui sous le titre de *Jeanne la fileuse*, est moins un roman qu'un pamphlet ; moins un travail littéraire qu'une réponse aux calomnies que l'on s'est plu à lancer dans certains cercles politiques contre les populations franco-canadiennes des États-Unis[5].

Honoré Beaugrand ne s'en cache pas et se sert de ce docu-roman pour réfuter le portrait misérabiliste des Franco-Américains tel que dépeint par les partisans de leur rapatriement au Québec. Il ne faut donc pas s'étonner que certains critiques québécois de l'époque aient trouvé par trop «enchanteresse» la description que Beaugrand faisait de la vie des «Francos» aux États-Unis[6].

Il est exceptionnel qu'un romancier avoue aussi franchement ses intentions, mais pareille intervention est superflue si, de l'ensemble du roman, se dégage une intention autre que littéraire. Tel est le cas de *L'Héritage* de Robert Perreault, paru en 1983[7]. Le titre nous met sur la piste et, après quelques pages, on sait à quoi s'en tenir sur le sens à donner à cet héritage linguistique et culturel qu'une jeune Franco-Américaine tentera de récupérer tout au long de ces quelque deux cents pages. S'agit-il d'un roman à thèse? Très certainement, surtout que dans son épilogue, l'auteur, sous le couvert du personnage de Denis Ladouceur, interpelle le lecteur en ces termes :

> Sans doute certains doivent-ils se demander si je suis venu à bout de résoudre mes difficultés concernant la fierté ethnique et le parler populaire des nôtres. Ai-je repris l'accent des miens? – J'cré ben que oui, pis j'en suis fier étou, à cause qu'autrement, j'me serais pas câssé la caboche à écrire c'te longue histoire icitte[8].

L'intention poursuivie par l'auteur en écrivant ce roman est donc on ne peut plus explicite, peut-être trop même...

LE MYTHE DE LOWELL DANS LES DEUX *MARIA CHAPDELAINE*

Sur un autre plan, l'écrivain aura recours au mythe pour auréoler le réel, allant jusqu'à conférer à l'événement le privilège de la pérennité, à élever des personnages au niveau de l'archétype[9]. C'est ainsi que le «Grand Dérangement» de 1755 fournira à Longfellow les matériaux nécessaires à la fabrication de son poème épique *Evangeline*[10], qui allait engendrer un mythe aussi colossal qu'indestructible.

Il n'est pas étonnant que ce soit un étranger qui ait exploité la dimension mythique de cet événement, car l'altérité du regard permet fréquemment de détecter plus sûrement les éléments mythifiables, et l'éloignement dans l'espace et dans le temps peut aussi favoriser cette entreprise de transposition. Contrairement au mythe, ainsi que nous le verrons plus loin, l'utopie, elle, sera constituée par des écrivains du milieu et non par des gens de l'extérieur.

L'exemple le plus célèbre de mythification par rapport à l'espace franco-américain nous a été fourni par l'écrivain français Louis Hémon dans son fameux roman *Maria Chapdelaine*, paru pour la première fois sous forme de feuilleton en 1914[11]. On sait comment le personnage de Lorenzo Surprenant, un émigrant québécois devenu franco-américain, s'y est pris pour tenter de convaincre Maria de le suivre aux États-Unis. Il a embelli la ville de Lowell au point d'en faire un lieu édénique où tout n'est que merveilleux et plaisirs, quitte à exalter non seulement les «lumières», les «chars électriques», les «magasins», «le théâtre, les cirques, les gazettes avec des images», les «vues animées», mais même les trottoirs de cette ville ouvrière, «pas des petits trottoirs de planches comme à Roberval, mais de beaux trottoirs d'asphalte, plats comme une table et larges comme une salle[12]». Dans sa présentation de la vie citadine aux États-Unis, Lorenzo Surprenant a pris soin de gommer tout aspect négatif, ne serait-ce que la nécessité de travailler, péniblement plus souvent qu'autrement, et il donne l'impression qu'à Lowell, au tournant du siècle, c'était le paradis sur terre. La réalité était différente, et Claire Quintal, en comparant la description de Lowell fournie par Camille Lessard lors de l'arrivée de la famille Labranche, dans *Canuck* (1936), et en citant des données de sociologues, a montré à quel point le chantre de Lowell avait fardé la vérité[13].

La vie en ville, ainsi mythifiée, devient un instrument de propagande redoutable, et il fallait quelqu'un de la trempe de Maria Chapdelaine pour y résister, grâce à un enracinement exceptionnel et à une force de caractère hors du commun. Un autre Français installé au Québec, Philippe Porée-Kurer, a eu l'idée d'écrire une suite au célèbre roman de Louis Hémon, *La Promise du Lac*, titre paru en 1993[14]. Notons en passant que Porée-Kurer n'est pas le premier à avoir eu cette idée, puisqu'un Franco-Américain, Henri Chapdelaine, a fait paraître, en 1985, *Au nouveau pays de Maria Chapdelaine*, un roman dans lequel l'héroïne se ravise et décide d'émigrer en Nouvelle-Angleterre[15]. Dans ces deux «suites», les curés arbitrent le conflit idéologique entre la thèse du sédentarisme agriculturiste et celle de la vie urbaine américaine. Ainsi, dans *La Promise du Lac*, le curé de Péribonka, du haut de la chaire, appelle Dieu et le diable à la rescousse pour conjurer la tentation de l'émigration aux États-Unis :

> – Le Seigneur, il aime pas trop la vie facile. Allez pas croire ceux qui reviennent des Etats dans leurs habits voyants [...].
> Maria laisse dériver son imagination vers les grandes villes du Sud dont lui a parlé Lorenzo Surprenant; les grands trottoirs d'asphalte où passe une foule bien mise, les innombrables boutiques [...].
> – [...] iront rôtir dans les flammes brûlantes de l'enfer! promet le curé avec une intonation digne d'un roulement de tonnerre[16].

Différents personnages du roman viendront tour à tour dénoncer la propagande mensongère véhiculée à propos des États-Unis, tel ce rapatrié qui en a gros sur le cœur :

> — Oh! on y a ben été aux Etats, mais c'est pas toujours comme on dit. [...] Et pis surtout, pour un bonhomme comme moi, ce qui était le plus dur, c'était de suivre et de faire exactement comme le foreman disait. [...]; et ça sans parler qu'en plus, là-bas, l'évêché nous avait collé un prêtre irlandais, une espèce de tête carrée qui ne voulait pas parler canayen [...][17].

Le romancier nous signale que Maria est ébranlée par ce contre-témoignage et «commence à se demander si Lorenzo Surprenant ne lui aurait pas juste fait miroiter le bon côté de la vie dans le Sud[18]». Et c'est le père Chapdelaine qui aura le dernier mot dans cette histoire :

> — Entre nous, je crois ben que ma fille a failli se laisser prendre aux beaux discours d'un beau marle qui vit là-bas[19].

On s'en doute, Marie restera fidèle à la terre de ses aïeux, et ira défricher elle aussi son lopin de terre, mais avec un autre compagnon qu'Eutrope Gagnon...

L'UTOPIE DANS DEUX ROMANS ÉCRITS EN ANGLAIS SUR LES FRANCO-AMÉRICAINS

La littérature peut non seulement servir à propager des idéologies, à étayer certaines thèses, à en réfuter d'autres, à mythifier un univers, un événement ou un personnage, mais peut aussi devenir le lieu où l'on réarrange la réalité au gré de ce qu'on souhaiterait qu'elle soit, pas pour convaincre, mais pour échapper à un monde plus ou moins décevant et s'octroyer un peu de rêve, et aussi, plus fondamentalement, pour montrer comment aurait pu évoluer une collectivité si elle avait eu plus de prise sur son propre destin. Le littéraire a tous les pouvoirs sur l'univers qu'il fabrique et il lui est parfaitement loisible d'imaginer une société où tout va pour le mieux dans le meilleur des mondes. C'est ainsi que deux romanciers ont présenté une vision utopique de la société franco-américaine en nous faisant assister, en anglais, à l'évolution de deux familles «francos» : Jacques Ducharme avec *The Delusson Family* (1939), puis Gérard Robichaud, l'auteur de *Papa Martel* (1961)[20].

Louis Dantin, qui a fait une recension du roman de Ducharme, commence par absoudre de façon sensée et magnanime l'écrivain franco-américain qui s'exprime en anglais :

> Les Canadiens yankifiés sont souvent condamnés en bloc par nos ardents nationalistes; mais il faut bien admettre qu'un bon nombre ont cédé à des ambiances étouffantes et à des forces inévitables, et ne méritent vraiment pas qu'on les accuse d'apostasie[21].

Par la suite, il souligne le caractère invraisemblable de l'intrigue où tous réussissent, immunisés contre les mauvais coups du sort. Dantin conclut à un monde chimérique :

> La morale à tirer du livre serait que la vie est bien belle et que Holyoke est un paradis. Inutile d'observer que cette conclusion penche fort du côté de la chimère[22].

D'ailleurs, le romancier emploie lui-même le mot «utopie» pour illustrer la façon dont les immigrants eux-mêmes percevaient leur patrie d'adoption :

> The French Canadians had found a favorable welcome in Holyoke, for they were used to toil, and work in the mills was no harder than work on their farm. In addition, it paid tangible wages, and better ones. To many, it seemed like an Utopia[23].

Les commentaires disséminés dans le roman sur le français et l'anglais parlés par les personnages ne sont pas dénués d'intérêt. La langue est peut-être la seule petite déception ressentie par la mère, Cécile Delusson, qui fut forcée d'admettre que son fils cadet, inscrit au collège de l'Assomption au Québec, était le seul de ses enfants qui parlât un bon français[24]. Mais le véritable choc, elle le ressentira lorsqu'elle tentera de converser en français avec ses petits-fils, les enfants de son fils Pierre et de sa bru elle aussi francophone, Anne Dulhut, pour découvrir que les deux jeunes ne la comprennent guère. Pierre lui avouera alors qu'il converse en anglais avec sa femme et avec ses enfants. La grand-mère Cécile lui reproche alors vertement d'envoyer ses enfants à l'école publique plutôt qu'à l'école paroissiale, où le français est enseigné. «Vous faites la belle-mère» (en français dans le texte), lui rétorque alors son fils aîné Étienne[25].

Mais un tel vent d'optimisme souffle sur ce roman que ces signes annonciateurs d'une tendance à l'acculturation seront conjurés, et dès l'automne suivant, cédant aux instances de la «belle-mère», on inscrit les petits-fils à l'école paroissiale. Sur le front linguistique toujours, l'aïeule Cécile, demeurée virtuellement unilingue francophone, eut une dernière consolation avant de mourir. Une fois son mari décédé et ses enfants devenus à peu près autonomes, elle décida d'acheter une ferme non loin de Holyoke, dans la région de Granby. Le roman se termine donc dans un décor bucolique, et sur un ultime gain pour le français :

> On the farm there was one thing Cécile noted with profound pleasure. The children spoke less English than they had spoken when they lived in the city[26].

Tout cela écrit en anglais, faut-il le rappeler... Cécile décédera à l'âge de 78 ans, de la plus belle façon qui se puisse imaginer, au cours de sa sieste, conservant sa pose de personne endormie, par un beau jour d'été, dans sa chaise, à l'ombre d'un érable; le détail vaut d'être rapporté[27].

Une autre Cécile, Cécile Bolduc, la femme de Louis Martel dans le roman *Papa Martel*, mourra plus jeune, à l'hôpital, après une vie parfaitement réussie, où même les angoisses linguistiques ont été gommées par les soins du romancier d'origine acadienne Gérard Robichaud.

L'histoire racontée dans le roman *The Delusson Family* se déroule pendant le dernier quart du XIXe siècle et le premier quart du XXe. Robichaud fait commencer l'action de son roman à peu près là où Ducharme interrompt son récit, soit en 1919, et nous amène jusqu'en 1937, l'année du mariage de la fille cadette, un événement raconté dans le dernier chapitre du roman.

Entre les deux romans, les ressemblances sont frappantes. On trouve, dans les deux cas, un compte rendu d'une cérémonie du mariage rapportée dans le journal local, avec l'inévitable description de la toilette de la mariée; les deux familles voient un de leurs fils accéder à la prêtrise après avoir fait des études classiques au Québec; les deux chefs de famille, après des débuts modestes, ont fini par connaître un certain bien-être en exerçant le métier de menuisier, puis d'entrepreneur en construction. Le sentiment religieux est très fort dans les deux familles, profondément enraciné chez le père dans *Papa Martel*, plus concentré autour de la mère qui récite sans arrêt son chapelet chez les Delusson. Finalement, dans les deux romans, la famille franco-américaine est présentée sous un jour des plus favorables, et l'idéalisme de Ducharme, dans *The Delusson Family*, fait place à une vision carrément utopique chez Gérard Robichaud dans *Papa Martel*.

En effet, les craintes éprouvées par Cécile Delusson quant au français de ses enfants et petits-enfants n'existent plus pour Cécile Bolduc-Martel, puisqu'on a atteint, dans son foyer, l'équilibre parfait entre le français et l'anglais :

[...] all the children, from the earliest years, could and did speak both French and English, alternately, at will and well[28].

Ce parfait dosage linguistique est aussi un dosage culturel. Le soir, après souper, Maurice, un des enfants, lit à haute voix une biographie de Napoléon, et un autre jour, c'est la mère qui lit l'histoire de la Révolution française. Au slogan de «Liberté! Égalité! Fraternité!», le fils aîné Laurent donne la réplique en déclamant un texte extrait d'un manuel scolaire et qui commence par ces mots : «When in the course of human events it becomes necessary for one people [...].» Et la mère de sourire de contentement en entendant son fils continuer sa lecture solennelle de la fameuse «Déclaration de l'indépendance», en se disant sans doute qu'elle était en train de préparer des citoyens non seulement parfaitement bilingues, mais aussi rigoureusement biculturels[29].

Sur le plan social, encore là, la réussite parfaite des Martel éclipse la performance pourtant fort acceptable des Delusson. La mère, Cécile Delusson, finit ses jours entourée de quelques-uns de ses enfants qui sont demeurés célibataires, ne ressentant aucun penchant pour le mariage. Rien de tel chez les Martel. Hormis le futur prêtre, tous se marient et ont des enfants, avec un certain retard pour Thérèse qui devient finalement enceinte grâce à une potion magique préparée par son père, qui y ajoute une bonne dose de prières, convient-il de préciser. Louis Martel, ce soir-là, en avait fait prendre une rasade à sa seconde épouse, de plusieurs années sa cadette, avec le même résultat[30].

Point de mariage exogamique chez les Martel, mais peu s'en fallut. Félix, un des fils, boxeur amateur talentueux, s'était épris de Lucia Lopez, une Espagnole, serveuse et danseuse dans un bar. «Bonguienne!» Heureusement la Providence veillait au grain... Avant un combat important, le jeune pugiliste était allé allumer une chandelle à l'église, histoire de mettre toutes les chances de son bord. Une jeune fille alluma un cierge en même temps que lui, mais le choc allait se produire quelques instants plus tard, à la sortie de l'église, à la façon d'un rite d'exorcisme :

> [...] we approach the holy water fount. She dips her fingers in the founts [...], she sees me and she extends her moistened fingers toward me, I touch them to secure holy water from her[31].

Et voilà, un coup de foudre engendré par l'eau bénite! Une question angoissante demeure : quel est le nom de la fille? Noëlle Meunier. Le père, Louis Martel, pousse un soupir de soulagement et ne peut cacher sa satisfaction en apprenant qu'elle est la fille unique du plus important laitier de la ville... (Dans *The Delusson Family*, Pierre épouse lui aussi la fille unique d'un commerçant francophone, Anne Duluth...) Il y a encore la cadette, Cécile, qui épousera à la toute fin du roman Tom McLaughlin, «Tom Whatever-his-name-is» se permet de dire Louis, un Irlandais bien particulier, adopté par des parents francophones qui lui ont légué l'accent du Maine, et qui chante «Mother Machree with a rolling French accent[32]». Qui dit mieux?

LE SENTIMENT RELIGIEUX

Ce monde idéalisé baigne littéralement dans le sentiment religieux, ce qui ajoute un élément d'irréel, de merveilleux au récit, un tel dosage correspondant sans doute, dans une certaine mesure, aux croyances et aux pratiques culturelles en vogue à l'époque. On retrouve dans ces deux romans la soumission à la Providence, telle qu'énoncée dans la conclusion de *L'Histoire d'un enfant pauvre* (1909) de Félix-Albert, originaire de L'Isle-Verte au Québec, père de dix-neuf enfants, qui a œuvré à Lowell[33]. Cette philosophie prévaut dans les romans de Ducharme et de Robichaud, à une nuance près cependant : les personnages, tout en ayant une foi inébranlable en la Providence, ne s'y soumettent pas passivement et réagissent par la prière, une prière accomplie surtout à la maison chez les Delusson, alors que chez les Martel, on y ajoute les pratiques culturelles à l'église.

Ainsi, le romancier nous révèle que Jean-Baptiste et Cécile Delusson disaient leur prière tous les soirs :

> they said their prayers together, a custom they had always followed from the day of their marriage[34].

Lorsque les enfants furent en âge d'y participer, la prière du soir eut lieu dans le «parloir» et en famille[35].

S'il est un genre de prière qui est privilégié dans les deux familles, c'est incontestablement le chapelet. De la deuxième partie jusqu'à la fin du roman qui en compte trois en tout, Cécile Delusson, la mère, moins accaparée par les tâches ménagères, se met à dire son chapelet. Pas moins de quatorze fois le romancier nous la présente-t-il en train d'égrener son chapelet, habituellement devant la fenêtre, installée dans sa chaise berçante[36]. Le chapelet jouit aussi de la faveur des Martel et le cinquième chapitre porte d'ailleurs le titre «The Rosary», qu'on récite en famille, à la maison, pour obtenir la guérison de la mère hospitalisée.

Chez les Martel, l'Église comme institution est davantage présente, en la personne du curé qui vient périodiquement visiter la famille; la famille, de son côté, ne ménage pas ses visites à l'église. Cependant, le sentiment religieux est davantage cristallisé autour de la personne du père, qui a lui aussi une grande confiance en la Providence, particulièrement à certains moments forts de l'existence :

> When a man marries, said Louis Martel, right away Providence puts his name down on a very special list[37].

La potion magique préparée par le père pour rendre sa fille fertile n'était en fait qu'une manœuvre de diversion, et la vraie recette, Louis la révèle en ces termes :

now that Thérèse has her wish, I have to go to Mass and receive Communion tomorrow morning. I promised I would do it right after I knew she was enceinte[38].

Rappelons enfin la scène des cierges et de l'eau bénite au cours de laquelle le fils Félix échappe comme par miracle à un mariage exogame.

Conclusion

Dans le processus de prise de conscience de sa spécificité, une collectivité doit pouvoir s'inspirer de certains mythes, associés à des événements aussi bien glorieux que tragiques ou simplement pénibles. C'est ainsi que la Déportation des Acadiens et la fin tragique de Louis Riel, pour les Acadiens et les Métis de l'Ouest canadien, ont pris une dimension mythique à valeur cosmogonique pour ces collectivités. Pour les Franco-Américains, outre la fondation des Petits Canada et la vie sociale qui les animait, deux événements au moins sont susceptibles d'être élevés au rang de mythes fondateurs : cette gigantesque immigration de près d'un million de Québécois et d'Acadiens, échelonnée sur près de deux siècles, notamment entre 1840 et 1930, à l'origine de la Franco-Américanie, et la période du mouvement sentinelliste, pendant les années 1920, afin de tenir en échec l'évêque William Hickey de Providence (Rhode Island) qui n'avait rien d'un francophile, tant s'en faut. Soulignons qu'à la même époque, les Franco-Ontariens ont dû mener eux aussi une lutte acharnée contre les forces anglicisatrices rassemblées autour de l'évêque Fallon de London et contre l'inique Règlement XVII, adopté au prix d'une collusion avec les orangistes protestants.

À la différence du mythe que les gens de l'extérieur peuvent concourir à élaborer, comme ce fut le cas pour les Acadiens qui ont bénéficié de l'aide combien utile de Longfellow pour auréoler Évangéline, l'utopie est un ultime privilège non transférable, qu'on se réserve en exclusivité. On a recours à l'utopie pour évoquer ou reconstituer un univers dont on sait qu'il ne se réalisera jamais. Il ne faut pas y voir uniquement une façon de fuir la réalité, mais aussi et surtout une vision d'un monde tel qu'on aurait souhaité qu'il se réalisât.

C'est dans cette perspective qu'il faut analyser les cellules familiales franco-américaines telles qu'incarnées par les Delusson et les Martel, tellement idéales qu'elles finissent par basculer dans l'utopie. Il est d'ailleurs symptomatique que Ducharme, qui a publié son roman en 1939, nous présente un univers «franco» au tournant du siècle et que Robichaud, dans un livre paru en 1961, recule lui aussi dans le temps et fasse commencer l'histoire de la famille Martel à peu près à l'époque où Ducharme a interrompu son récit, soit pendant le premier quart du XXᵉ siècle. Ce fut en quelque sorte l'âge d'or de la Franco-Américanie d'avant la lutte sentinelliste qui se termina par un retentissant coup de crosse assené par Mᵍʳ Hickey qui eut recours à l'excommunication pour éreinter ses adversaires. Ces derniers ne s'en remirent jamais et l'on assista alors à l'amorce d'un déclin dont on connaît aujourd'hui l'aboutissement.

Certains objecteront, justement, qu'à cette époque, certains foyers privilégiés, en Nouvelle-Angleterre, avaient connu des réussites comparables à celles qui sont racontées dans ces deux romans, tant sur le plan social que linguistique. Pareille observation nous fait passer à côté de l'essentiel, à savoir que les deux romanciers sont retournés dans le passé pour évoquer un univers peut-être vraisemblable au début du XXᵉ, mais singulièrement idéaliste en 1939 et carrément utopique en 1962, alors que les tendances lourdes de l'acculturation avaient déjà produit des effets dévastateurs irréversibles.

À cet égard, on relira avec profit l'introduction de notre collègue Roger Le Moine à l'édition de 1980 de *Jeanne la fileuse*. L'universitaire, après avoir évoqué les états d'âme engendrés par les échecs politiques ou militaires, tels les lendemains de la Révolution de 1837, évalue les conséquences d'un semblable marasme psychologique collectif sur les orientations littéraires du moment, en affirmant qu'une telle conjoncture engendre «une littérature romanesque qui vise à l'oubli d'un présent rendu intolérable soit par la re-création d'un moment du passé qui confine souvent au rêve, soit par l'élaboration d'un univers incitateur[39]».

En qualité d'observateurs de la collectivité franco-américaine qui a inspiré leur production littéraire, ces deux romanciers, à l'époque où ils ont écrit, n'ont pu que constater l'effritement du projet ambitieux qu'avaient envisagé leurs prédécesseurs, à savoir intégrer l'héritage franco-catholique à la société américaine. Pour ceux qui avaient cru à cette idéologie, ce constat d'échec dut être pénible à accepter. Et la tentation de se réfugier dans un «moment du passé qui confine [...] au rêve» devint pour eux irrésistible, acquit une valeur de catharsis, car en littérature, tous les rêves deviennent possibles. Pour les lecteurs, ces univers idéaux ainsi évoqués permettent d'entrevoir comment on aurait souhaité que les choses évoluent, et quel destin aurait pu connaître cette collectivité pour peu qu'elle eût réalisé ses objectifs fondés sur la préservation et l'intégration.

Notes

1   Grace Metalious, *No Adam in Eden*, New York, Trident Press, 1963, 312 p.

2   *Id.*, *Peyton Place* (Simon & Schuster, 1956), publié en français en 1958 par les Éditions Colbert, repris dans la collection «J'ai lu», en 1978 (t. 1, 319 p; t. 2, 319 p.).

3   Voir Albert Memmi, *Portrait du colonisé*, Paris, Petite Bibliothèque Payot, 1973, p. 150.

4   Le roman *Jeanne la fileuse* parut pour la première fois sous forme de feuilleton en 1875 dans *La République* de Fall River, puis en volume, successivement, en 1878, 1888 et 1980. Cette dernière édition a été préparée et présentée par Roger Le Moine, Montréal, Éditions Fides, collection du Nénuphar, 1980, 312 p.

5   Honoré Beaugrand, *Jeanne la fileuse*, éd. de 1980, p. 75.

6   Joseph Desrosiers, «Revue bibliographique», dans *Revue Canadienne*, 1878, p. 402-404, cité par Roger Le Moine dans la présentation de l'édition de 1980 de *Jeanne la fileuse*, p. 47.

7   Robert B. Perreault, *L'Héritage*, National Materials Development Center for French, University of New Hampshire, Dunham, 1983, 256 p.

8   *Ibid.*, p. 206.

9   Sur cette question du mythe, on consultera avec profit un ouvrage collectif préparé sous la direction de Metka Zupancic, *Mythes dans la littérature contemporaine d'expression française*, Ottawa, Le Nordir, 1994, 321 p.

10   Henry Wadsworth Longfellow, *Evangeline*, Moncton, Les Éditions Perce-Neige, 1994 [1847; traduction française de Pamphile LeMay parue en 1912], 104 p.

11   Louis Hémon, *Maria Chapdelaine*, d'abord sous forme de feuilleton dans le journal *Le Temps*, à Paris, de janvier à février 1914, puis sous forme de volume, à Montréal, en 1916.

12   Citations extraites de l'édition parue à Paris, Bernard Grasset, 1924, p. 178.

13   Claire Quintal, «Lowell – le rêve et la réalité», dans *Francophonies d'Amérique*, n° 6, 1996, p. 159-170.

14   Philippe Porée-Kurer, *La Promise du Lac*, Chicoutimi, Éditions JCL, 1992. Citations extraites de l'édition du Club Québec Loisirs inc., 1993, 512 p.

15   Henri Chapdelaine, *Au nouveau pays de Maria Chapdelaine*, Manchester, chez l'auteur, 98 p.

16   Philippe Porée-Kurer, *op. cit.*, p. 21-22.

17   *Ibid.*, p. 102.

18   *Ibid.*

19   *Ibid.*, p. 106.

20   Jacques Ducharme, *The Delusson Family*, New York and London, Funk & Wagnalls Company, 1939, 301 p. Gérard Robichaud, *Papa Martel*, London, The Catholic Book Club, 1962, 239 p.

21   Louis Dantin, recension parue dans *Le Jour*, vol. II, n° 45, 22 juillet 1939, p. 2, reprise par Maurice Poteet, *Textes de l'Exode*, Montréal, Guérin, p. 441.

22   *Ibid.*

23   Jacques Ducharme, *op. cit.*, p. 19.

24   *Ibid.*, p. 157.

25   *Ibid.*, p. 285.

26   *Ibid.*, p. 295.

27   *Ibid.*, p. 297-299.

28   Gérard Robichaud, *op. cit.*, p. 30.

29   *Ibid.*, p. 38 et 112.

30   *Ibid.*, p. 205.

31   *Ibid.*, p. 187.

32   *Ibid.*, p. 222-223.

33   Félix-Albert, *Histoire d'un enfant pauvre*, 1909, édition bilingue par l'Université d'Orono, Immigrant Odyssey, The University of Maine Press, 1991, 178 p. Le récit se termine par un appel à la soumission à la Providence : «Ici notre livre met en relief la vérité incontestable que la soumission à la volonté divine ne saurait être vaincue. [...] Après tout, la soumission à sa position telle que Dieu l'a faite, secondée d'une volonté modérée mais ferme de faire fructifier, suivant ses moyens légitimes, le talent qui nous a été donné par la Providence, sont après tout la sagesse suprême et la philosophie la plus sûre.» (p. 178)

34   Jacques Ducharme, *op. cit.*, p. 35.

35   *Ibid.*, p. 38. Henri Chapdelaine, dans son roman, accorde lui aussi une grande importance à la prière du soir, ce qui donne lieu à une scène surréaliste. En effet, après avoir franchi la frontière canado-américaine, peu après minuit, le père Samuel Chapde-laine se souvint qu'il avait omis de réciter la fameuse prière du soir. Il se mit donc à genoux dans l'allée du wagon, imité par ses enfants, et il commença la prière à haute voix : «Mettons-nous en présence de Dieu et adorons-le.» À la fin, l'exemple aidant, «toute la wagonnée était à genoux et répondait aux prières», pendant que le train roulait sur Manchester (p. 94).

36   Le romancier, peut-être afin d'éviter l'effet de la répétition, s'arrange pour varier le rythme de cette prière particulière : «her

fingers ran steadily over her prayers beads» (p. 169); «The beads swiftly slipped through her fingers.» (p. 207); «the beads were marching between her fingers» (p. 217); «her rosary which she would move slowly between her fingers» (p. 271); etc.

37   Gérard Robichaud, *op. cit.*, p. 92.

38   *Ibid.*, p. 205.

39   Voir l'introduction de *Jeanne la fileuse*, édition de 1980, p. 7.

Tchipayuk de Ronald Lavallée, un roman en quadrichromie

L A LITTÉRATURE D'EXPRESSION française de l'Ouest canadien, déjà remarquable par sa richesse et par sa diversité,
est dorénavant dotée d'un roman tout a fait exceptionnel, dû
à la plume d'une jeune auteur, encore à ses premières armes en
littérature : *Tchipayuk ou le chemin du loup*, par Ronald
Lavallée[1].

L'événement n'est certes pas passé inaperçu et les
critiques, unanimes dans leur appréciation très favorable, y
ont cependant vu une œuvre difficile à cataloguer : roman
historique, épique, pour les uns; ample saga pour les autres[2].
Cette hésitation provient sans doute du fait que ce long récit
de cinq cents pages, en dépit d'une apparente unité procurée
par un seul héros central, n'en demeure pas moins une œuvre
composite formée de quatre chapitres correspondant à autant
de types de roman... C'est tout l'art de l'écrivain d'avoir pu
réussir cette prouesse sans dérouter le lecteur, mieux encore,
d'avoir donné une illusion de roman à fond de scène
historique alors que le thème récurrent qui se mêle à l'intrigue
de façon subtile, dans les mêmes tons, en camaïeu, est celui
du patrimoine métis qu'il faut sauver de l'oubli et sa contrepartie négative, soit l'acculturation considérée sous différents
angles, tant en diachronie qu'en synchronie. Mais là où le tour
de force confine à la virtuosité, c'est d'avoir réussi à intégrer
ces éléments dans un récit de fiction sans tomber dans le piège
de la littérature à thèse, toujours détestable, tout en résistant à

la tentation d'emboucher la trompette du chantre de service en mal de doter son peuple d'une geste nationale, un genre dont on semble avoir perdu la recette avec la disparition des bardes d'antan.

Le roman comporte donc quatre chapitres, de longueur à peu près égale, et clairement identifiés. En apparence, de simples balises destinées à guider le lecteur; en fait, autant de points de démarcation correspondant à des récits différents : «La Plaine» (p. 9-142) : un roman de mœurs; «La Forêt» (p.143-256) : un roman d'éducation (*Erziehungsroman*); «Vieilleterre» (p. 257-406) : un roman d'apprentissage (*Bildungs-roman*); «La Plaine» (p. 404-504) : un roman historique.

Le premier chapitre, «La Plaine», est fascinant pour qui s'intéresse à la façon de vivre des Métis de l'Ouest canadien, à l'époque où ils sont entrés dans l'actualité bien malgré eux, par les soins des arpenteurs du gouvernement d'Ottawa. C'est aussi la fin de la chasse au bison, et il nous est donné d'assister à une de ces dernières randonnées, avec le rituel et le panache appropriés, sans omettre la fonction de pourvoyeur inhérente à ces expéditions, puisque la survivance d'une collectivité entière en dépendait. Tous les éléments du roman de mœurs y sont présents et le chapitre regorge de données et de détails sur la façon de vivre de cette communauté mi-sédentaire et mi-nomade, résultat d'un croisement de cultures, la française et l'amérindienne.

Qu'on ne s'y méprenne cependant pas en croyant devoir parcourir des pages plutôt indigestes truffées de renseignements, alourdies par un didactisme trop visiblement souligné. Rien de tel, bien au contraire : le lecteur est convié à vivre une aventure extraordinaire, élevée à la dimension du mythe, et baignant dans une atmosphère onirique digne de l'Antiquité gréco-latine.

Les réminiscences mythologiques y sont multiples, et dès le début du récit, nous assistons à une scène qui n'est pas sans rappeler le nautonier du Styx, à la différence que la rivière à traverser s'appelle la Seine, non pas celle de Paris, mais bien celle du Manitoba, et que le batelier doit conduire son jeune voyageur en un lieu qui évoque tout au moins l'au-delà, la cathédrale de Saint-Boniface. Le jeune Métis Askik Mercredi, sur les ordres de sa mère, va chercher un prêtre afin que ce dernier assiste le grand-père mourant.

Jérôme Mercredi, le père, six ans plus tôt, au même endroit, lors du baptême de son fils Askik, en déclinant son nom et sa profession, «Courrier de la Baie d'Hudson», avait suscité une curiosité admirative chez le curé, parce que ce métier bénéficiait déjà de l'aura du mythe : «Dans l'imagerie populaire, il [le courrier] n'était pas loin des esprits rôdeurs, volant à travers l'arrière-pays, nulle part et partout, frère des loups[3].»

Quant à la chasse elle-même, au cœur du chapitre, elle se déroule d'une façon ritualisée, avec pompe même : Jérôme Mercredi prend la tête d'un défilé de deux cents charettes et de six cents personnes, rien de moins! Un tel cortège rappelle davantage la migration d'un peuple entier vers quelque Terre promise qu'une banale expédition de chasse. Quand vient le moment d'offrir un sacrifice, on privilégie l'esprit du rite, quitte à composer avec la règle. L'employé de la Compagnie de la Baie d'Hudson débite en lanières qu'il jette dans le feu au fur et à mesure... une de ces fameuses couvertures aux rayures multicolores immuables devenues l'emblème de la prestigieuse firme, assuré que les dieux préféreront ce beau produit manufacturé à des abats d'animaux dont ils doivent être repus et lassés, depuis le temps qu'on leur fait ce genre d'offrande.

Et pour guider une telle expédition, rien de tel que le rêve. Jérôme Mercredi décide de passer la nuit à l'écart, en compagnie de son fils Askik, afin de l'initier à ce genre de transe aux vertus prophétiques. Ici, l'onirisme est de qualité et participe d'une expérience ontologique totale, sans commune mesure avec les divagations d'une pythonisse ou les haruspices sibyllins. Qu'on en juge plutôt :

> Mercredi sentit une immense poussée de joie, qui le leva de terre, et le précipita droit comme une flèche vers ces collines aériennes. Incroyable ascension! Jérôme filait à une vitesse inouïe! [...] Il se faufilait entre des buttes, survolait des lacs et des mares, rattrapa une volée de canards lumineux, et vit une rivière si gaie, si étincelante, qu'il voulut tout abandonner... pour y passer le restant de ses jours. (p. 82)

Après avoir longuement évolué en haute altitude, il amorce une descente qui lui procure une dernière vision, la plus importante de toutes, celle d'un troupeau de bisons aux allures célestes : «du bôfflo comme il n'en avait jamais vu. Leurs crinières étaient des amas d'étoiles. Des astres brillaient à la place des yeux et à la pointe des cornes. Leurs queues formaient des constellations.» (p. 82)

Ce rêve prémonitoire s'est-il matérialisé en une chasse profitable? Poser pareille question dénote un esprit terre-à-terre et équivaut à avouer son ignorance concernant la culture métisse. L'important, c'est que le jeune Askik ait été initié et que plus tard, à la suite d'un séjour forcé dans une tente mortuaire désaffectée, il ait pu à son tour jouer le rôle du médium qui est entré en communication avec des êtres disparus, à la grande satisfaction des Sioux qui l'écoutaient (p. 110-117).

Les dieux viennent animer cet univers de rêve et de magie. Ils sont omniprésents et complètent la dimension verticale d'un récit aux multiples coups de sonde lancés vers l'univers de l'invisible. Il serait peut-être plus juste de parler de démonologie, car les dieux évoqués sont rarement bien disposés vis-à-vis des hommes. Wetiko est un démon canni-bale, Pakkosus s'occupe de la malchance, Bébonne fait la pluie et le vent, alors que Pâgouk se situe au bas de l'échelle quant à la noirceur des desseins. Heureusement, pour faire contre-

176

poids à ces phalanges négatives, il se trouve un Grand Esprit soucieux du bien-être de ses enfants de la plaine, le Kitché-Manitou, mais son pouvoir n'est pas absolu et il doit composer avec sa Némésis, le méchant Mahtsé-Manitou.

Et le Métis, point de convergence de deux cultures, doit maintenir en équilibre les dieux amérindiens et l'univers des saints catholiques, sans vexer personne, tâche délicate s'il en est une! Le syncrétisme religieux fait partie de son mode de vie et la diplomatie cultuelle est devenue une seconde nature pour lui. Ainsi, après la mort du grand-père d'Askik, au début du roman, on prend bien soin de faire passer le cercueil par la fenêtre afin qu'il atteigne plus sûrement le chemin du loup, une façon imagée de désigner la Voie lactée empruntée par les âmes en route vers le repos éternel, après quelques jours d'errance parmi les mortels. Les funérailles seront célébrées à l'église catholique et l'ensevelissement aura lieu au cimetière paroissial. Mais c'est la religion autochtone qui aura le dernier mot, et on ira faire un petit feu, à la sauvette, sur la tombe du défunt, afin de faciliter son passage dans l'au-delà.

Pareil équilibre ne se réalise qu'au prix de négociations, de tiraillements intérieurs, vite résolus, il faut l'avouer, grâce à un solide sens pratique. Par exemple, quand Jérôme décide de se retirer pour aller invoquer les dieux, il triche un peu avec le strict rituel amérindien : «Il songea même à faire tout à fait comme les Indiens qui s'infligent des entailles aux bras et aux jambes pour attirer la pitié des esprits, mais cela lui parut excessif.» (p. 80) Ailleurs, dans une situation de crise, il invoquera tout naturellement la Sainte Vierge et ne craindra nullement de l'intégrer à sa litanie de dieux autochtones (p. 101). Malheureusement, ce bel esprit œcuménique fonctionne à sens unique et les Robes noires demeurent récalcitrantes à toute tentative de libre-échange dans ce domaine, au grand dam des populations amérindiennes et métisses qui voient dans cette attitude un intolérable impérialisme théologique catholique dénoncé dans le chapitre suivant.

Le deuxième chapitre, «La Forêt», poursuit la même visée que le premier, soit nous présenter à la culture des Métis, mais la façon de procéder tranche nettement avec le genre «roman de mœurs» du début. Plutôt que d'insérer dans un récit d'aventures des données d'ordre ethnologique, le romancier éloigne momentanément son jeune héros de Saint-Boniface où il avait commencé à fréquenter l'école des Blancs et s'arrange pour lui faire rencontrer une vieille Améridienne, Pennisk, à qui il assigne la tâche de parfaire l'éducation du jeune garçon. En ayant ainsi recours à une docte personne qui entreprend d'enseigner à un enfant les points essentiels de la culture autochtone, l'auteur donne à son texte la facture du «roman d'éducation» (*Erziehungsroman*), caractérisé par une intervention pédagogique[4].

L'intention didactique devient encore plus évidente que dans le chapitre premier, et sous prétexte de parer à l'ignorance du jeune Askik, l'intervention de Pennisk présente l'avantage de densifier le roman en données culturelles, ce dont profite également le lecteur qui n'est pas dupe de l'artifice. Car c'est bien d'enseignement qu'il est question dans ce chapitre, puisque le jeune protégé, ayant évoqué avec nostalgie l'école de Saint-Boniface qu'il a dû quitter pour accompagner son père dans une expédition commandée, se voit confié à Pennisk qui décide de «prendre en main [son] éducation» (p. 165).

On s'en doute, le décor et les intervenants imposent une pédagogie qui n'a rien de commun avec celle des Pères du collège de Saint-Boniface. Le type de relation qui s'instaure entre la vieille Amérindienne anichnabègue (ojibwée) et le jeune Métis, en est une de maître à disciple, à l'image du mythe de Mentor et de Télémaque. Et comme pour les personnages de l'Antiquité, la formation s'effectue au fil des événements, comporte des épreuves initiatiques (pêche, première chasse à l'arc), des dangers (animaux sauvages, froid, faim, vindicte de la population du village indien), et se termine par la mort (Pennisk succombera aux blessures que lui ont infligées les gens supertitieux qui voyaient en elle une sorcière). Mais durant ces mésaventures, la vieillarde ne perd jamais de vue sa mission d'éducatrice et elle complète la formation d'Askik en mettant l'accent sur son héritage amérindien, quitte à lui faire voir les aspects négatifs de son autre héritage culturel, celui des «Poilus».

Dans la tente de Pennisk, un soir, c'est le récit de la Genèse à l'amérindienne, une fascinante cosmogonie où les animaux ont un rôle essentiel à jouer, surtout les plus humbles, comme le rat musqué, avec une conclusion morale simple et touchante :

> Ne méprise aucune forme de vie. Respecte-les toutes. Même les plus faibles ont leur pouvoir. Et toi, tu seras le plus faible de toutes. Tout ce que tu recevras te sera donné. Prends ce qu'on te donne. Sois reconnaissant. (p. 164)

Cette philosophie est assortie d'une exhortation au plus grand respect de la vie animale : «Quand tu tues, explique-toi, excuse-toi. Les animaux ont droit à la vie. Ils ont droit au respect.» (p. 181) Cette délicatesse s'étend au règne végétal. Quand vient le moment d'aller couper une branche de frêne pour confectionner un arc, le futur chasseur se fait servir la mise en garde qui suit : «Attention, ne blesse pas inutilement les arbres. Sois sûr avant de frapper. Quand tu auras choisi la branche, dépose ce tabac au pied de l'arbre pour le remercier du don qu'il te fait.» (p. 156)

Il est bien évident qu'en pleine forêt, les dieux amérindiens ont l'avantage. Askik, après avoir tué un harfang par mégarde, un oiseau sacré, récite un *Ave* pour conjurer le mauvais sort, mais après coup, il se demande s'il n'a pas commis là une autre erreur : «Il ne voyait pas encore clair dans les rapports de force naturels, mais il sentait qu'en forêt, la nuit, les manidos l'emportaient sur la Vierge.» (p. 175)

D'ailleurs, Pennisk veille à souligner certaines lacunes dans la théologie des Blancs, notamment le manque de coopération des Robes noires qui ne rendent pas la politesse aux Amérindiens soucieux d'intégrer à leur Credo quelques notions de dogme catholique, dans un esprit de bonne entente (p. 189). Là où le jeune Métis réussit à la rendre perplexe, c'est lorsqu'il aborde la question du paradis. Askik aura-t-il en partage le paradis des Amérindiens ou celui des Blancs, lesquels ne peuvent être identiques, au risque de ne plus être du tout un lieu de délices, ni pour les uns, ni pour les autres? La vieille sage refuse de trancher une question aussi délicate : «Peut-être aurez-vous le choix entre le ciel des Indiens et celui des Blancs [...].» (p. 206)

Au chapitre des rêves, l'enseignement de Pennisk s'inscrit dans le droit fil des agissements paternels, avec, en plus, une dimension de long terme que ne pouvait assumer Jérôme, davantage à la recherche d'effets immédiats, comme le débusquage des bisons. «Aucun homme ne commence à vivre avant de recevoir une vision», déclare-t-elle à son disciple. Et le procédé est sûr : «Quand tu auras la tienne, marche toujours selon ses enseignements.» (p. 182). À une occasion, le maître et le jeune disciple s'aident d'une pipée de tabac pour accélérer la venue du message[5] (p. 197).

À la fin, «kokoum», c'est-à-dire la grand-mère, appelle son disciple «ami», une façon de lui signifier que son éducation est terminée. En rêve, elle a vu un homme qui viendra chercher l'enfant dans le «wakinogan» et elle recommande à ce dernier d'attendre patiemment. Au cours de la nuit, elle meurt et nous assistons aux rites funéraires qu'elle avait prescrit à son protégé d'accomplir pour elle. L'homme qui vient chercher Askik, c'est l'abbé Teilhet de Saint-Boniface, qui ne rate pas l'occasion de semoncer le néophyte pour s'être laissé endoctriner par une sorcière : «Voilà où mènent les superstitions païennes! Voilà ce qu'emporte le refus du christianisme!» (p. 209) Une autre manifestation de l'intransigeance doctrinale des Blancs.

Le dénouement du chapitre nous permet d'accompagner Askik jusqu'à Montréal où il ira compléter ses études chez les Sulpiciens grâce à la générosité d'un bienfaiteur anonyme que lui ont trouvé les Pères de Saint-Boniface. Le parallèle avec la biographie de Louis Riel s'impose de lui-même, puisque le chef des Métis a lui aussi terminé ses études à Montréal. D'ailleurs, les péripéties de ce long voyage se déroulent sur un fond d'histoire authentique : l'instauration du Gouvernement provisoire, l'exécution de Scott et les premiers mouvements de troupes qui sont acheminées vers la rivière Rouge, sous le commandement de Garnet Wolseley. L'auteur prépare en douce la quatrième et dernière partie de son roman, où l'intrigue et la révolte des Métis s'entrelaceront.

Le troisième chapitre, «Vieilleterre», se distingue tout à fait des deux premiers. Le souffle épique, la dimension onirique, l'atmosphère de mysticisme amérindien sont disparus au profit d'un milieu aux horizons infiniment plus restreints : Montréal avec ses allures de petite ville de province à l'époque, et un domaine rural circonscrit entre des clôtures de perches... Un hiatus de quinze ans sépare les chapitres 2 et 3 et cette solution de continuité oblige le lecteur à faire connaissance avec un nouveau héros, en somme, puisque Askik est maintenant un jeune homme dont la formation est terminée et qui en est à ses premières armes dans la pratique du droit. Même son prénom est devenu Alexis, pour sa consonance française.

Pareille rupture dans le récit et dans le ton s'explique, car nous abordons un troisième type de composition romanesque : le «roman d'apprentissage» ou *Bildungsroman*, qui consiste à «faire découvrir le monde par les yeux d'un jeune homme[6]», influencé et formé par les événements plutôt que par un guide ou un pédagogue, comme c'est le cas dans le «roman d'éducation». L'évolution de la conscience du héros est un facteur clef dans la détermination du genre Bildung, et les étapes de la maturation de sa personnalité doivent être signalées au lecteur d'une façon ou d'une autre[7].

Ronald Lavallée, en faisant vieillir soudainement son personnage principal de quinze ans, permet une évaluation saisissante des changements survenus chez son héros, et les diverses péripéties auxquelles sera soumise son existence à partir de là provoqueront chez Alexis Mercredi une prise de conscience de plus en plus lucide quant à son statut de Métis au sein de la société canadienne-française.

C'est son bienfaiteur, monsieur Sancy, qui se charge de souligner publiquement, à l'occasion d'un toast, les progrès accomplis par son protégé, depuis ses origines lointaines et modestes jusqu'à son tout récent premier procès :

> notre Alexis n'est pas né dans une famille de juristes aisés, ni chez des habitants cossus, ni même chez des ouvriers pauvres où il aurait appris tout au moins les rudiments de notre langue et de notre culture. Non. Alexis est né dans un autre monde, une autre culture, je dirais même à une autre époque. Il a fait plus de chemin dans ses vingt-quatre ans que j'en ai parcouru dans mes cinquante et quelque. (p. 308)

Cette reconnaissance officielle ne saurait apporter une réponse satisfaisante à la question fondamentale posée par le roman d'apprentissage, à savoir «Qu'est notre héros devenu?». La caque sent toujours le hareng, le jeune homme va l'apprendre à ses dépens, qui voulait tant ressembler aux Blancs «pure laine». Malgré tous ses efforts, les gens et les événements déclenchés par eux vont perpétuellement mettre un frein à ses ambitions en lui rappelant ses origines de Bois-Brûlé, quand on ne l'ostracise pas sans ménagement. Cette conjoncture va amener progressivement Alexis à réfléchir à sa condition de Métis parmi les Blancs, à lui faire prendre conscience de son acculturation, souhaitée et encouragée pour qu'il devienne «quelqu'un d'important», tout cela en pure perte. En retour, il ne se privera pas pour jeter sur cette société fermée et même sectaire un regard lucide, à l'origine d'une évaluation sans complaisance de la société québécoise, en cette seconde moitié du XIXe siècle.

S'il est un mot qu'on murmure en présence du jeune avocat métis ou qu'on lui jette à la figure, à la façon d'un stigmate, pour bien lui faire sentir l'incongruité de ses ambitions, c'est celui de «sauvage». Une servante se permet ce commentaire : «Y est sauvage, pi y restera sauvage.» (p. 275) À l'occasion d'une réception, un invité enrobe son compliment d'une insulte: «Parle ben en maudit pour un sauvage [...].» (p. 307) Plus loin, un paysan jaloux reprend la même rengaine : «T'as beau l'envoyer à l'école, un sauvage reste sauvage. Je le voudrais pas autour de mes filles.» (p. 395) C'est nulle autre que sa protectrice, madame Sancy, qui pousse à son point ultime l'escalade verbale, lorsqu'elle découvre que le jeune Métis ose convoiter sa fille bien-aimée, la toute blanche Élisabeth : «Pi toé, dehors! Que j'te revoie pu icitte, charogne! [...] Dehors que je te dis! Penses-tu que je vais donner ma fille à un sauvage? Tu m'écœures!» (p. 321) Il faut ajouter, à la décharge de cette chère dame, si tant est qu'un tel discours de troupier puisse trouver circonstance atténuante, que les Sancy, au beau patronyme fleurant l'aristocratie, étaient en fait d'ex-Sansouci et que Madame, contrairement à son mari plus soucieux de se conformer aux convenances des parvenus, «parlait avec l'accent du peuple» (p. 266).

Par un juste retour des choses, les «yeux du jeune homme» font «découvrir» au lecteur un «monde[8]» plutôt terne, celui de la société québécoise d'alors, tant urbaine que rurale, puisque les Sancy, en plus de leur maison à Montréal, possèdent un domaine à la campagne dont Alexis deviendra l'intendant, monsieur Sancy étant retenu à Ottawa à la suite de son élection au parlement fédéral. L'homme de confiance fera donc la navette entre ces deux milieux et profitera de son point de vue d'observateur privilégié pour brosser de cette collectivité un tableau auquel ne nous ont guère habitués les romanciers québécois soucieux de montrer la ruralité sous un jour généralement favorable, pendant la période de la littérature du terroir en tout cas. Et quand ils transportent leurs romans à la ville, ils nous montrent habituellement différents quartiers de Montréal au XXᵉ siècle. À la salle de concert, Alexis Mercredi note que «dans les rangées chères», «on parle anglais» (p. 270); au prétoire, les avocats montréalais offrent une prestation guère plus reluisante que leurs homologues de la ville de Québec, lors de cette navrante plaidoirie à laquelle assista Alexis de Tocqueville en son temps[9].

Le fléau de la mortalité infantile est évoqué dans un paragraphe tout simplement accablant :

> Dans toutes les paroisses on enterrait les bébés qui n'avaient pu résister au lait sur, à l'eau d'étang, aux fruits verts, au lard rance, au pain rassis. La diarrhée faisait beaucoup d'anges dans ces années-là au Québec. Les petits corps étaient inhumés sans cérémonie à côté d'arrière-grands-parents à moitié rendus à la glaise. (p. 339)

Implacablement, la fresque sociale se poursuit avec l'exode des Canadiens français vers les États-Unis : «Le Vermont et le Maine les hantaient au lit comme à l'étable. Ils imaginaient une vie meilleure, idyllique [...].» (p. 339)

Quant à ceux qui restent, leur type d'agriculture vivrière est dénoncée avec une insoutenable lucidité par Askik alias Alexis :

> Voilà le problème du Québec, songea Askik. Un peu de pêche, un peu de culture, un peu de chasse. Ils consomment ce qu'ils récoltent et ne produisent rien pour l'exportation. Une économie de subsistance en plein XIXᵉ siècle. Et ils se demandent ensuite pourquoi les Anglais mènent tout. Non, c'est pis encore : ils ne se le demandent même pas. (p. 324)

Encroûtés dans leurs habitudes, les paysans se montrent réfractaires aux changements suggérés par l'intendant de Vieilleterre en se cantonnant derrière l'argument du «on a toujours mangé à not' faim» (p. 326). Ils se vengeront d'ailleurs de cet étranger venu les déranger dans leur routine en persuadant l'inévitable curé de jouer le rôle de messager pour acheminer leurs griefs jusqu'à monsieur Sancy afin de le faire désavouer par son maître et bienfaiteur. Un curé à l'image de ses paroissiens, «fils de paysan, demeuré paysan», et bien de son époque, mêlé à tout ce qui se passe dans sa paroisse et n'admettant pas qu'on résiste à ses arguments d'autorité, du type «Vous n'êtes pas d'icitte, monsieur Mercredi» (p. 331-332).

Un peu comme un peintre qui aurait décidé d'intégrer dans sa fresque aux larges coups de pinceau des miniatures au dessin plus précis, le romancier complète ce tableau inspiré par les grands maux dont souffrait cette société avec des évocations en médaillon portant sur des comportements dictés par l'ignorance, par la mesquinerie ou par l'obscurantisme. À un moment donné, ce sont les vaches hollandaises achetées par Alexis qui souffrent du racisme des employés : «Les engagés mirent un point d'honneur à dorloter la demi-douzaine de vaches canadiennes qui restaient, et à rudoyer les étrangères.» (p. 333) Ailleurs, il est question de ces fameuses «chicanes de clôtures» (p. 348) auxquelles s'adonnaient les cultivateurs avec délices. Et pour se soustraire au fardeau des taxes scolaires, ces mêmes paysans «avaient brûlé l'école du village» (p. 347).

Après un tel cheminement marqué par la morosité et les déconvenues multiples, Alexis Mercredi remet en question la pertinence de son acculturation à la société des Blancs puisque ces derniers subodorent toujours le «sauvage» en lui, malgré tous les efforts qu'il a déployés pour leur ressembler, et qu'ils ne lui permettront jamais de réaliser son rêve de «grand personnage». Il aboutit au constat suivant à froid, à haute voix :

Tant que je me comporterai avec gratitude [...], ils [les paysans] seront heureux de moi. Mais que j'essaie seulement de prendre un peu d'ascendant, et ils me détestent. Des médiocres et des fourbes peuvent prétendre aux positions d'autorité, pas moi. Il n'y a pas un seul ivrogne du Québec qui ne me soit supérieur. Je suis et je serai toujours, pour les Canadiens, un sauvage. (p. 399)

Encore et toujours cette sempiternelle étiquette, indélébile, à la manière d'une tare.

Mais il y a pire encore. En embrassant la civilisation des Blancs, tant il est vrai que nul ne peut servir deux maîtres, Askik-Alexis a dû renoncer, au moins provisoirement, à son héritage amérindien. Ayant lui-même collaboré à sa propre aliénation par rapport à ses antécédents autochtones, et se retrouvant perpétuellement en marge de la société des Blancs qu'il a convoitée, il aboutit à un diagnostic d'anomie, puisqu'il n'a plus d'identité ni de place où il se sent à l'aise :

moi, où est ma place? Ici? Il suffit que je dérange un peu pour qu'on se souvienne que je suis moitié sauvage. Dans le Nord-Ouest? J'ai des goûts et des exigences de Blanc. Mes félicitations, mes pères. Bravo, mes maîtres. On peut dire que vous m'avez réussi! (p. 398)

«Mes pères», c'est le premier chapitre, le «roman de mœurs»; «mes maîtres» évoque le deuxième chapitre, le «roman d'éducation», mais aussi la période de quinze ans pendant laquelle il a été formé par les Blancs. Cet intervalle est omis dans le récit, mais n'en pèse pas moins de tout son poids sur la destinée du héros. Et le constat d'échec survient à la fin du chapitre 3, après de multiples expériences dans son quotidien, lesquelles font évoluer et mûrir le personnage, ce qui est le propre du «roman d'apprentissage». La tragique quadrature du cercle dans laquelle s'est enfermé le héros sera transportée telle quelle dans la quatrième et dernière partie du roman et on verra s'il y a possibilité de trouver une solution en rapprochant l'intrigue du courant historique.

Le quatrième chapitre porte le même titre que le premier, soit «La Plaine». Cette répétition n'est pas fortuite puisque l'auteur a décidé de terminer son roman au lieu du départ, dans les plaines de l'Ouest. La conjoncture est cependant bien différente : la guerre contre les Métis en est rendue au stade de la confrontation armée et les personnages de cette page d'histoire, tout juste évoqués jusque-là, font maintenant partie de l'action, donnée qui confère à cette dernière tranche les caractéristiques du roman historique. Alexis Mercredi servira de guide à un journaliste de Montréal dépêché dans l'Ouest pour couvrir l'affrontement final entre les Métis et l'armée canadienne.

Le nom de Louis Riel n'est mentionné que trois fois au cours du roman, et encore, seulement dans les deux derniers chapitres[10]. Dans la dernière partie, son nom n'est cité qu'une fois, par le frère d'Askik, Mikiki, qui s'est mis au service du «prophète de la Nouvelle Nation» (p. 394). Le lieutenant-colonel Otter et le général Middleton nous sont présentés, jusque dans leur intimité, puisqu'on nous dévoile leurs petits défauts, l'indolence du premier et la gourmandise de l'autre. Les sites historiques où eurent lieu les principales confrontations sont évoqués : le lac au Canard, Battleford et Batoche. Dans ce dernier cas, la disposition des forces en présence est bien exposée et le lecteur est en mesure d'évaluer les aspects insolites de cette «drôle de guerre».

Malgré tous ces efforts de mise en scène, l'attention du lecteur n'est pas distraite par l'histoire officielle, le destin d'Askik demeurant au centre de l'intrigue. Cette primauté de la fiction sur l'histoire résulte d'un choix délibéré de la part de l'auteur. Ronald Lavallée, s'il a situé le dénouement de son roman sur les champs de bataille où les Métis ont été tour à tour vainqueurs et vaincus, plutôt que d'opter pour le genre roman historique de type «réaliste» qui donne la vedette à des personnages ayant véritablement existé, a choisi la forme «lyrique», caractérisée par des personnages principaux inventés, l'époque et les personnages authentiques «ne servant que de décor et n'apparaissant qu'en silhouette[11]». D'ailleurs, une critique a intitulé son analyse de Tchipayuk «La narration décentrée», pour bien faire voir que les personnages «vrais» sont présentés de façon oblique, en coulisse en quelque sorte[12].

Sur un fond d'histoire du Canada, bien plus que le sort du peuple métis dont aucun romancier ne pourra jamais transformer en «success story» le destin tragique, ce qui intéresse le lecteur, c'est de voir comment se terminera la quête d'identité qui a pris une dimension de crise chez Alexis à la fin du chapitre précédent. Pour ne pas décevoir cette attente, l'auteur, s'il met son personnage principal quelque peu en retrait, ne lui ménage pas moins des apparitions suffisamment percutantes et lourdes de conséquences, au milieu d'une distribution beaucoup plus nombreuse évoluant dans des décors toujours différents qu'il faut bien décrire au moins sommairement, tout en faisant progresser les deux histoires, la vraie et l'inventée...

Première constatation d'Alexis en arrivant au pays de son enfance : l'influence des Blancs qui l'a tranformé a affecté le peuple métis dans son ensemble jusque dans son habitat immédiat :

> De l'ancienne colonie métisse, française, il ne restait plus que le caractère français, renforcé par l'arrivée de colons québécois. L'élément métis s'était envolé en emportant ses tchipayuk. Le pays avait désormais la mine sage, besogneuse, et un peu pâle de ses nouveaux maîtres. (p. 460)

Les méfaits de la «civilisation», conjugués à la disparition du bison, ont radicalement changé le mode de vie des Métis.

Un indice certain que des changements dramatiques sont survenus : les rêves de jadis aux vertus prémonitoires fiables ne signifient plus rien... Askik fait cette découverte en interrogeant Mona, une amie d'enfance retrouvée par hasard et dont les prédictions, fondées sur des songes, s'étaient avérées justes autrefois :

— C'est vrai que tu ne peux plus prédire l'avenir?

— Quand j'étais petite et malheureuse, il me semblait parfois voir des choses. Plus maintenant. (p. 501)

Deuxième constatation : si Alexis n'a pas réussi à se faire accepter par les Blancs, par contre, ses compatriotes métis ne sont pas dupes des changements survenus chez lui et le considèrent comme un transfuge, comme une espèce de «bison parmi des agneaux» (p. 475). Il échappe d'ailleurs de peu à un lynchage en règle aux mains d'un authentique Métis qui croyait avoir affaire à un de ces «caniches pour les Blancs. Un traître» (p. 496). En fait, seul un soldat de l'armée canadienne ne s'y méprend guère et l'identifie de la juste façon : «Fucking breeds!» (p. 480), cette profession de foi étant accompagnée, comme il se doit, d'un vigoureux coup de crosse dans les côtes.

Notre pauvre héros ne peut que s'apitoyer sur son sort : «Je peux dire que j'ai mené ma vie de main de maître... J'ai vingt-cinq ans, pas un sou, je dors dans les fossés, et tout le monde veut me battre. Oh maman, tu serais fière de ton garcon!» (p. 482) Il finit par tomber dans un découragement encore plus profond et par avouer son échec total : «Je ne suis vraiment plus rien du tout.» (p. 493)

À la fin du roman, Askik se lance dans une fuite en avant. Cependant, des indices rapportés dans une lettre écrite par le journaliste qu'il accompagnait, permettent d'entrevoir dans quel état d'esprit il a échappé au champ de vision du lecteur : «Retrouver les siens, dans des conditions pénibles, avait été dur pour lui. Mais il reprenait espoir. Il me faisait l'effet d'un homme qui se relève d'une longue maladie [...].» (p. 503) Parce qu'être soumis ainsi à un double système de valeurs et tâcher d'en tirer le meilleur parti possible, pour constater, en bout de piste, que l'échec est total, pareille déconvenue se compare aisément à une maladie qui peut être fatale. Mais il semble que la vie ait repris ses droits et que ces pérégrinations échelonnées sur des années et sur un demi-continent aient enfin produit la thérapie susceptible de régénérer le héros dans son authenticité primitive, puisque la dernière image qui nous soit tranmise de lui nous le montre fonçant à bride abattue sur Saint-Paul-les-Métis, vers les siens, en donnant l'impression d'un «homme heureux» (p. 504).

Tchipayuk est un roman polymorphe, non seulement par la quadrichromie de ses styles narratifs, mais encore par la variété des types de discours dans lesquels s'expriment les personnages. À titre d'exemple, au début du roman, la description d'une messe catholique telle que perçue par le jeune Métis (p. 20) n'est pas sans rappeler, par son ingénuité, certains passages des *Lettres persanes* de Montesquieu. Plus loin, c'est au tour du père, Jérôme, d'adresser à Dieu une supplication aux accents picaresques, cette fois : «Tu donnes à manger aux Naturels et même aux Américains qui sont protestants. Et à nous, Métis catholiques, rien [...]. J'te faisais confiance. Fais-moé voir du bôfflo.» (p. 81) Et les divers types de discours confèrent au récit une pluralité de tons et une authenticité comparables aux résultats obtenus, grâce aux mêmes moyens, par les grands romanciers français du XIXᵉ siècle.

Que Ronald Lavallée ait ainsi réussi à produire un livre considérable en jouant aussi audacieusement avec les différents genres de romans et avec la polyphonie des discours, sans compromettre pour autant l'unité de son œuvre, pareille prouesse mérite d'être soulignée. À quoi tient ce tour de force? Une fois épuisées les ressources des multiples grilles d'analyse ou le recours aux exégèses les plus savantes, si l'on n'obtient pas une réponse satisfaisante, peut-être faudrait-il s'orienter alors vers un autre type de radioscopie et se demander si, tout compte fait, le jeune auteur n'a pas réussi à transcender les étiquettes romanesques parce que le sujet traité lui tient à cœur. Tellement que cette passion pour la civilisation métisse sert de fil conducteur, quel que soit le type de récit adopté, et qu'elle se communique au lecteur sans perte d'intensité appréciable. Et quand on arrive à susciter une telle adhésion, tout le reste devient accessoire, y compris les règles de la rhétorique et les canons esthétiques de la stylistique.

Notes

l   Paris, Albin Michel, 1987, 504 p.

2   Voir à ce sujet : Paul Dubé, «Histoire d'hier, discours d'aujour-d'hui : la portée de l'œuvre de Ronald Lavallée», dans *L'Ouest canadien et l'Amérique française*, Centre d'études bilingues de l'Université de Regina, 1990, p. 275- 284; Ingrid Joubert, «La narration décentrée dans *Tchipayuk*», *ibid.*, p. 259-274; Yvan G. Lepage, «L'épopée des Métis», dans *Lettres québécoises*, nᵒ 53, printemps 1989, p. 14-16; Jules Tessier, «*Tchipayuk* ou la civilisation métisse sauvée de l'oubli», *Vie française*, vol. XLI, nᵒ l, 1989, p. 87-92.

3   Les références au roman seront indiquées entre parenthèses dans le texte.

4   Randolph P. Shaffner, *The Apprenticeship Novel*, New York, Peter Lang, 1984, p. 10.

5   P. 197. Il n'y a pas lieu de se formaliser d'une telle pratique, courante chez les peuples autochtones des deux Amériques. On consultera avec intérêt les ouvrages de Carlos Castaneda sur ces coutumes.

6   R.-M. Albérès, *Histoire du roman moderne*, Paris, Albin Michel, 1962. p. 114.

7   Randolph P. Shaffner, *op. cit.*, p. 8.

8   Nous reprenons ici la terminologie utilisée par R.-M. Albérès pour décrire le «roman d'apprentissage».

9   *Tchipayuk*, p. 297-299 et Alexis de Tocqueville, 1831, «Le plus grand malheur pour un peuple, c'est d'être conquis», dans *Le Choc des langues au Québec*, s. la dir. de Guy Bouthillier et Jean Meynaud, Montréal, Les Presses de l'Université du Québec à Montréal, 1972, p. 141.

10   P. 261, 375 et 494.

11   Yvon Allard, *Le Roman historique*, Longueuil, Le Préambule, 1987, p. 12.

12   Ingrid Joubert, art. cité, p. 259.

L'acculturation
dans *Tchipayuk* de Ronald Lavallée[1]

D ÈS LES PREMIÈRES LIGNES, le romancier nous plonge au cœur de la problématique des «cultures en contact» en nous faisant assister aux préliminaires d'un rite mortuaire : le jeune Askik Mercredi, grâce à la participation d'un passeur — évocation à peine voilée du nautonier de la mythologie — s'en va chercher un prêtre pour assister son grand-père mourant. Son étonnement devant les parquets cirés, les murs blancs de l'évêché de Saint-Boniface — digne des *Lettres persanes* — montre bien l'ampleur du fossé qui sépare les deux cultures en présence, celle des Métis et celle des Blancs. Il y a fort à parier que l'auteur, Ronald Lavallée, a sciemment fait débuter son roman par une scène semblable.

En tout cas, Octave Mannoni, dans son ouvrage *Prospéro et Caliban, psychologie de la colonisation*[2], souligne, en parlant des rites et du culte des morts, qu'il s'agit d'«un ensemble de coutumes et de croyances extrêmement solide et profond», et ce chez tous les peuples. Ce créneau ethnographique illustre bien la situation particulière du peuple métis qui participe de deux traditions, l'amérindienne et la blanche, et qui doit relever le redoutable défi de maintenir un délicat équilibre entre deux courants culturels, sans que l'un prenne le pas sur l'autre au risque de l'occulter, à la limite.

Les Mercredi, pour ce qui est du rite mortuaire, ont réussi un remarquable syncrétisme religieux : le prêtre fera une visite au malade et les funérailles auront lieu à l'église, mais le corps du défunt passera par la fenêtre et on ira faire de petits feux sur sa tombe afin que l'âme du grand-père gagne plus sûrement le chemin du loup, le *tchipayuk*. Dans le reste du roman, on verra évoluer différents personnages, qui représentent, chacun à sa façon, divers niveaux d'acculturation, avec, au centre, Askik-Alexis, qui, lui, accomplit le parcours complet, à partir de l'initiation, en passant par l'éducation et la dépossession, pour, enfin, boucler la boucle avec un retour au pays natal et à ce qui semble être un début de réappropriation. Incidemment, pour les besoins de cette analyse, nous allons nous inspirer d'études qui portent sur les relations entre colonisateurs et colonisés, particulièrement celles d'Albert Memmi qui n'hésite pas à accoler l'étiquette de «colonisés» aux Amérindiens tout en insistant sur le fait que «toute domination est spécifique[3]».

La relation de dominateurs à dominés, au centre de la problématique évoquée dans *Tchipayuk*, engendrera, entre autres méfaits, l'acculturation, définie par *Le Petit Robert* comme le «processus par lequel un groupe humain assimile tout ou partie des valeurs culturelles d'un autre groupe humain. Ex. : l'acculturation des Amérindiens». Même si la spécificité coloniale ne s'applique pas, à proprement parler, au contexte sociopolitique évoqué dans le roman de Ronald Lavallée, il n'en reste pas moins que le terme générique de domination y est partout présent, et que ce rapport de force produit des effets comparables à ceux d'une situation strictement coloniale, ainsi que nous le constaterons en superposant le *Portrait du colonisé* de Memmi au personnage d'Alexis Mercredi.

Le père d'Askik, Jérôme Mercredi, domine la première partie du roman. Cette chasse aux bisons, ritualisée et colossale, tout en évoquant un peuple en marche vers quelque terre promise, prend une dimension proprement mythique grâce à ce don qu'a le chef de l'expédition d'aller puiser son inspiration dans la méditation et le rêve. La scène de l'initiation où il emmène avec lui son jeune fils pour lui faire partager cette vision de «bôfflo» à la crinière étoilée (p. 82) compte parmi les passages les plus intenses du roman, parce que l'expédition de chasse est reléguée à l'arrière-plan et sert simplement de décor pour camper un personnage qu'on dirait sorti d'un roman picaresque : un peu indolent, insoucieux du lendemain, enclin à la fête; en revanche profondément humain, rusé, fier, et, tout compte fait, des plus attachants.

Tel un barde des temps modernes, en jouant de l'onirisme et du mythe, Ronald Lavallée réussit, par le biais de Jérôme Mercredi, à reconstituer l'archétype du Métis «accordé» avec lui-même. Il ne faut pas s'y méprendre : cette première partie qui nous fait assister à l'une des dernières chasses au bison nous montre non seulement la fin d'un style de vie, mais annonce également la disparition d'un type de Métis incarné par Jérôme Mercredi qui avait assez bien réussi à synthétiser les deux héritages dont il était le point de convergence : l'utilisation de la charrette et les invocations à la Bonne Vierge ou au Dieu des chrétiens ayant un faible pour les catholiques faisant bon ménage avec la tente, les cayousses et les supplications adressées aux dieux amérindiens divisés en deux clans, les bons et les mauvais, tels Kitché-Manitou et Mahtsé-Manitou.

Dans le même chapitre, l'auteur se sert du frère de Jérôme, l'homme d'affaires Raoul, pour nous montrer ce qui arrive à un personnage issu des mêmes parents, mais complètement acculturé et gagné aux valeurs des Blancs. Il pense comme eux, mange à leur façon, habite une maison encore plus belle que les leurs, et, comportement caractéristique du parvenu, il éprouve honte et mépris pour ceux des siens qui, volontairement ou non, perpétuent le style de vie traditionnel. Il y a un prix à payer pour tout. Et le tribut que Raoul doit acquitter pour avoir abandonné les valeurs des siens, c'est d'être devenu un détestable personnage de roman dépourvu de tout sens onirique, tant il est vrai qu'on ne peut prospérer dans les affaires et continuer à fréquenter les dieux qui peuplent les cieux de l'Ouest canadien. Albert Memmi, en brossant le portrait du colonisé acculturé, énonce une des lois du processus aliénant : «Le colonisé semble condamné à perdre progressivement la mémoire[4].» Il était donc capital que le romancier fasse d'Askik un personnage récupérable, à la fin du chapitre suivant, alors que le jeune homme, éduqué par les Blancs, aboutit à un constat d'échec du mimétisme. Dans cette perspective, Pennisk, tout en incarnant la mémoire collective, représente l'assurance du retour aux sources.

Le participe adjectif «accordé» a été employé dans ce sens par Félix-Antoine Savard pour qualifier ses paysans de Charlevoix.

En bonne pédagogue, la vieille Amérindienne fait alterner l'enseignement théorique dispensé dans la tente avec les stages pratiques dans la grande nature, sous la gouverne des dieux dont on peut décoder et jusqu'à un certain point infléchir les humeurs, le tout accompagné de mises en garde contre l'influence impérialisante et dépossédante des «poilus», des Blancs. Personne n'est dupe de l'artifice auquel a recours l'auteur. Les enseignements de Pennisk, dans la trame romanesque, visent à rééduquer le jeune Askik; en fait, c'est le lecteur, encore plus ignorant dans la majorité des cas, qu'on cherche à instruire en lui servant un véritable petit traité d'ethnographie amérindienne. Le procédé comportait certains dangers, dont celui de verser dans un didactisme lourd et, à la limite, de donner dans le roman à thèse. Fort heureusement, Ronald Lavallée a non seulement évité ces écueils, mais encore plus il a produit un chapitre fort réussi, parfaitement intégré au déroulement du récit.

À la fin du chapitre 2, Askik arrive en vue de Montréal où, grâce aux bons offices de son oncle Raoul, il ira terminer ses études. Son compagnon de voyage, l'Amérindien Numeo, refuse d'aller plus loin et annonce tout de go : «Je m'en retourne chez moi, petit frère.» Il refuse de céder aux instances du jeune Métis qui le supplie de l'accompagner dans la grande ville, mais enjoint ce dernier de persévérer dans son projet : «Reste, et apprends les manières des Poilus. Ce sont eux, désormais, qui décideront de tout [...]. Eux aussi sont tes parents. [...] Tu es un petit Métis. Reste.» (p. 253)

Le chapitre troisième, «Vieilleterre», nous fait faire un bond en avant de quinze ans et nous présente un Askik métamorphosé. Même le nom a été francisé en Alexis et nous avons maintenant affaire à un jeune avocat qui évolue dans la société du Montréal de cette seconde moitié du XIXe siècle. On pourrait s'attendre à ce qu'il ait réussi une parfaite synthèse entre les enseignements de Pennisk et ceux des Sulpiciens chez qui il est allé faire son cours classique, de façon à devenir le prototype du Métis éduqué. Il n'en est rien, puisque la société québécoise a exercé sur lui une telle influence qu'elle l'a acculturé et a fait de lui un être qui a tout mis en œuvre pour devenir un Blanc francophone. Cependant, dans son entourage, personne n'est dupe de cette pseudo-intégration à la communauté qui l'avait accueilli, hormis Alexis lui-même, au début, et peut-être son bienfaiteur, monsieur Sancy, qui déclare, sur le ton péremptoire : «Aucune différence d'avec nous. Un Canayen, un vrâ de vrâ.» Ce à quoi réplique le neveu Hubert, resté sceptique parce qu'il subodore l'Amérindien en Alexis : «Mais ne trouvez-vous pas, mon oncle, qu'il lui reste un fond [...] un fond sauvage, imprévisible?», jugement repris tout au long du chapitre, avec infiniment moins de ménagement, par tout un chacun.

Alexis devra apprendre à ses dépens que la voie du mimétisme mène généralement à un échec. La société dominante impose à ceux qu'elle considère injustement comme inférieurs une barrière virtuellement infranchissable à quiconque tente de fuir son statut de dominé pour passer dans le clan des dominateurs. Albert Memmi a souligné cette constante dans la dialectique qui règle les rapports entre colonisateurs et colonisés : «Pour s'assimiler, il ne suffit pas de donner congé à son groupe, il faut en pénétrer un autre[5]», et c'est alors que survient «le refus du colonisateur», malgré «l'effort obstiné du colonisé de surmonter le mépris, [malgré] sa soumission admirative, son souci appliqué de se confondre avec le colonisateur, de s'habiller comme lui, de parler, de se conduire comme lui, jusque dans ses tics [...][6]».

Memmi enchaîne en esquissant son portrait du colonisé dont la plupart des traits correspondent au personnage d'Alexis, par exemple la «faute de goût dans le vêtement ou le langage» résultant d'une impossibilité de trouver le «ton juste» : un homme à cheval sur deux cultures est rarement bien assis et ne trouve pas toujours le ton juste

On n'a qu'à songer aux difficultés qu'éprouve Alexis à régler sa garde-robe pour être dans le ton, justement. Le «beau gilet à fleurs en damas doré» acheté pour impressionner Élisabeth était peut-être un peu voyant (p. 301); aussi, plus tard, sent-il le besoin de refaire «sa garde-robe, en choisissant des vêtements plus sobres, plus simples, et chose curieuse, plus chers» (p. 313). Mais quand vient le moment de revêtir son manteau de pékan, force est de constater qu'il «le grossissait de trente livres et [que] ses belles bottes chères n'avaient pas l'effet voulu auprès de la fourrure» (p. 318), alors que le neveu Hubert, lui, est naturellement «revêtu d'une élégante pelisse de vison» (p. 310) tout à fait seyante. Quant à la faute de langage, c'est Élisabeth qui se charge de la corriger, en soulignant à son auteur que «grand-chambre» plutôt que «salon», «[ç]a fait tellement campagne» (p. 303).

Retournons à Memmi qui poursuit son portrait du colonisé : le colonisé en mal d'assimilation cache son passé, ses traditions, toutes ses racines enfin, devenues infamantes[7]. Ici, la racine amérindienne est en cause chez le jeune homme métis, et le professeur Étienne Prosy se fera fort d'en régaler la galerie, lors de cette brillante réception chez les Sancy, en commençant par évoquer la signification du prénom Askik, qui veut dire «chaudron». Alexis Mercredi est profondément humilié, et pour cause, mais il est devenu assez homme du monde pour tourner la situation embarrassante à son avantage en racontant des histoires de son enfance à un auditoire qui en redemande; cela lui vaudra un commentaire insultant sur ses antécédents amérindiens qui le poursuivent comme une tare : «Parle ben en maudit pour un sauvage [...].» (p. 304-307)

Le refus de son identité peut mener même à la haine de soi, à l'endossement de l'attitude méprisante du dominateur envers ses propres valeurs, ce qui a produit, dans d'autre milieux, la «négrophobie du nègre» ou «l'antisémitisme des Juifs[8]». Il ne faut donc pas s'étonner qu'Askik, à un moment donné, reprenne à son compte l'insulte dont on l'a si souvent abreuvé et qu'il qualifie à son tour de «sauvages» les fermiers envieux qui sabotent son travail (p. 341). En effet, Alexis Mercredi a dû faire face à beaucoup d'hostilité de la part de la société québécoise d'alors, et ce comportement, de prime abord, peut étonner, puisqu'on serait tenté de croire plus plausible une attitude d'empathie entre colonisés, entre dominés. Les Canadiens français de cette époque avaient, eux aussi, des comportements inspirés par la servilité vis-à-vis des classes dominantes, ainsi que le révèle, par petites touches, Ronald Lavallée. Par exemple, il nous signale qu'au spectacle, les Anglais de Montréal occupent les meilleures places, dans les loges (p. 292).

Et que dire du personnage d'Elzéar Grandet qui incarne à merveille le Québécois entiché de tout ce qui est anglais au point de parler une langue généreusement entrelardée d'expressions anglaises? Entre dominés d'espèces différentes, on reproduit les comportements de colonisateurs à colonisés, tant il est vrai qu'on trouve toujours plus petit que soi à mépriser. C'est ce que Memmi appelle la «pyramide des tyranneaux» ainsi explicitée : chacun, socialement opprimé par un plus puissant que lui, trouve toujours un moins puissant pour se reposer sur lui, et se faire tyran à son tour[9].

Ajoutons au syndrome de la «pyramide des tyranneaux» le statut du Métis promu intendant de Vieilleterre, et donc constitué en autorité auprès des paysans conservateurs et fermés à toute influence extérieure, et qui s'enhardit jusqu'à dévoiler son amour pour la fille de ses bienfaiteurs, et on obtient l'explication de ces débordements verbaux, de ces attitudes haineuses dont le jeune homme a été la victime.

Fort heureusement, le romancier, en sa qualité de créateur, a tous les pouvoirs sur ses personnages. Et puisque l'avenir est irrémédiablement bouché du côté de Montréal et qu'Alexis a atteint un état qui confine au désespoir, Ronald Lavallée fait subir au héros de son roman la seule thérapie qui ait quelque chance de succès en le rapatriant dans l'Ouest de son enfance. Mais les méfaits produits par l'acculturation ne disparaissent pas du coup, car un tel gauchissement de l'être intérieur ne peut être redressé qu'en y mettant le temps. C'est d'ailleurs un des mérites du romancier que d'avoir montré toute la vulnérabilité de son personnage principal, devenu ainsi beaucoup plus crédible. Albert Memmi, dans *L'Homme dominé*, souligne l'invraisemblance de ces théories dites «romantiques» — et il fait allusion ici à Frantz Fanon — selon lesquelles le colonisé redevient normal dès le moment où cesse la situation de domination :

> pour la plupart des romantiques sociaux, la victime reste intacte et fière, à travers l'oppression, qu'elle traverse en souffrant, mais sans se laisser entamer. Et, le jour où l'oppression cesse, on doit voir apparaître immédiatement l'homme nouveau. Or, je le dis sans plaisir, ce que la décolonisation nous démontre précisément, c'est que ce n'est pas vrai; c'est que le Colonisé survit longtemps encore dans le Décolonisé, qu'il nous faudra attendre encore longtemps pour voir cet homme nouveau réellement nouveau[10].

À la lumière de ce témoignage, il ne faut pas s'étonner que la reprise de contact avec le pays de son enfance ne produise pas d'effet immédiat. Investi de la fonction de guide pour les Blancs de l'Est qui veulent «couvrir» l'offensive armée menée par Ottawa contre le peuple métis, l'ambiguïté de son personnage le poursuit : Alexis vient près de se faire fusiller par les soldats anglais à cause de son facies (p. 488), et un de ses compatriotes tente de le lyncher, ayant cru reconnaître dans ce Métis trop bien habillé «l'un de ces jeunes ambitieux qui jouent aux caniches pour les Blancs» (p. 496). En somme, c'est la quadrature du cercle. À ce problème de fausse perception se greffe un autre infiniment plus profond : celui d'être exclu de sa propre histoire. C'est encore Albert Memmi qui a diagnostiqué cette carence : «La carence la plus grave subie par le colonisé est d'être placé hors de l'histoire [...]¹¹.»

Dans le premier chapitre, les Métis dirigent la chasse au bison et Askik en fait partie de plein droit; c'est même lui qui en devient le héros lors de l'épisode très réussi de la tente mortuaire désaffectée. Dans le dernier chapitre, qui a à nouveau les prairies de l'Ouest comme théâtre, on assiste à un singulier renversement de situation : de «chasseurs» qu'ils étaient au début du roman, les Métis sont maintenant devenus les «chassés», et il n'y a qu'un pas à franchir pour continuer la comparaison et voir dans ce peuple poussé jusque dans ses derniers retranchements une espèce culturelle menacée de disparition, comme les bisons du début. Or Alexis Mercredi, lors de cette confrontation capitale pour l'avenir des siens, ne peut que jouer un rôle d'observateur et rester à la périphérie de la scène quand le destin de son peuple se joue sous ses yeux. On peut voir là le châtiment suprême réservé à ceux qui ont perdu contact avec leur héritage : se voir ainsi exclu de la distribution quand un peuple a rendez-vous avec l'histoire, même si cette dernière s'apprête à sceller une injustice collective.

Signalons en passant l'échec total de l'ami Grandet, fervent admirateur des Anglais. Lui aussi, en dépit de toutes ses tentatives pour leur ressembler, s'est rendu compte que ses modèles le tenaient toujours à distance. Les Anglais ont le nez fin pour détecter l'odeur de «swamp» qui émane des «frogs», même quand elles s'évertuent à camoufler leurs coassements... Ridiculement déguisé en militaire, sur un champ de bataille où les troupes canadiennes tournent en rond, le sous-lieutenant Elzéar Grandet fait un bilan bien négatif de sa «vie médiocre» : «Plus gogo que moi, [...] il ne s'en est jamais fait.» (p. 503) Preuve, s'il en fallait une supplémentaire, qu'à vouloir trop singer les autres, on ne réussit qu'à se couvrir de ridicule. Alors qu'Askik venait de s'écrier une fois de plus «Je ne suis vraiment rien du tout» (p. 493), voilà que surgit, au détour d'une route, son jeune frère Mikiki. Cette rencontre fortuite a pour but de mettre en contraste le Métis acculturé et celui qui est resté fidèle à lui-même. Mikiki fait le procès des Blancs qui lui ont servi «condescendance, paternalisme, mépris» pour exalter le Métis «libre, responsable» (p. 494). Cette authenticité lui a valu de rencontrer Louis Riel et de combattre pour les siens.

Le romancier prend soin de nous montrer un Mikiki non seulement réconcilié avec lui-même, mais vivant en harmonie avec son environnement : «Il était alerte et calme tout ensemble, comme les chevreuils qui vivent et se reposent au milieu des dangers.» (p. 495) Point n'est besoin d'épiloguer sur ce qu'il est advenu d'Askik Mercredi, à la fin du roman. L'auteur ne nous renseigne pas sur les question de détails qui s'apparentent au fait divers, mais par le truchement de la lettre du journaliste Lemercier, il nous donne tous les indices nécessaires pour conclure qu'Askik Mercredi est sur la voie de la «reculturation». Tout d'abord, il a repris son nom amérindien, Askik, ainsi que le souligne Lemercier, qui ajoute :

> J'ai revu Askik la veille du départ. Retrouver les siens, dans des conditions pénibles, avait été dur pour lui. Mais il reprenait espoir. Il me faisait l'effet d'un homme qui se relève d'une longue maladie, et qui mesure mieux l'importance des choses. (p. 503)

Cette dernière phrase, à n'en pas douter, constitue un diagnostic positif. Le héros a commencé sa convalescence et sa hiérarchie des valeurs a été retravaillée. Lemercier continue sa lettre et rapporte le récit fait par Askik «au sujet d'un Indien mort et d'un loup», en prenant soin de noter son humour bien particulier, «assez sec, un peu moqueur, très métis».

La boucle est bouclée. *Tchipayuk ou le chemin du loup* : on revient à l'enfance, à la culture originelle, à l'authenticité des débuts. Le journaliste nous transmet enfin l'image finale :

> il est monté en selle. Il s'est retourné une dernière fois à la
> sortie du village pour me faire signe de la main, et j'ai eu
> l'impression, à ce moment-là, de voir un homme heureux. La
> dernière fois que je l'ai vu, il fonçait à bride abattue vers un
> village de Saint-Paul, en Alberta. Dieu sait pourquoi. (p. 503-
> 504)

Il semblait heureux, il retournait parmi les siens. A-t-on besoin d'en savoir davantage? Askik Mercredi venait de se retrouver et le processus de la réappropriation de son identité de Métis est bien enclenché. La convalescence est une question de temps. Peu importe le reste.

Par le biais de *Tchipayuk*, Ronald Lavallée a donc réussi à dresser le bilan du patrimoine métis pour le préserver de l'oubli, sans négliger la contrepartie négative, soit la présentation d'un véritable réquisitoire contre les divers types d'acculturation incarnés par autant de personnages. De plus, il a intégré tous ces éléments dans un récit de fiction, en évitant le piège de la littérature à thèse, sans que l'unité ou la qualité du roman en souffre. Pareil tour de force confine à la prouesse littéraire.

Notes

1   Ronald Lavallée, *Tchipayuk ou le chemin du loup*, Paris, Albin Michel, 1987. Pour faciliter la lecture, les références subséquentes à cet ouvrage seront indiquées dans le texte par le numéro de la page inscrit entre parenthèses.

2   Octave Mannoni, *Prospéro et Caliban, psychologie de la colonisation*, Paris, Éditions universitaires, 1984, p. 56.

3   Albert Memmi, *L'Homme dominé*, Paris, Gallimard, 1968, p. 87.

4   *Id.*, *Portrait du colonisé*, Paris, Petite Bibliothèque Payot, 1973, p. 131.

5   *Ibid.*, p. 152.

6   *Ibid.*, p. 153.

7   *Ibid.*, p. 150.

8   *Ibid.*

9   *Ibid.*, p. 46.

10 Albert Memmi, *L'Homme dominé*, p. 66.

11 *Id.*, *Portrait du colonisé*, p. 121.

Table des articles

1 «Plaidoyer pour une nouvelle critique adaptée aux "petites" littératures», dans *Toutes les photos finissent-elles par se ressembler?*, s. la dir. de Robert Dixon, d'Annette Ribordy et de Micheline Tremblay, Sudbury, Prise de parole et l'Institut franco-ontarien, 1999, p. 309-318.

2 «Quand la déterritorialisation "déschizophrénise" ou De l'inclusion de l'anglais dans la littérature d'expression française hors Québec», dans *TTR* [Traduction, Terminologie, Rédaction], «Le Festin de Babel/Babel's Feast», s. la dir. de Christine Klein-Lataud et d'Agnès Whitfield, vol. IX, n° 1, 1er semestre, Montréal, Université Concordia, 1996, p. 177-209.

3 «Le rôle particulier des éléments exogènes dans l'œuvre de Jean Marc Dalpé et de Louise Fiset», dans *La littérature franco-ontarienne : état des lieux*, s. la dir. d'Hédi Bouraoui et d'Ali Reguigui, «série monographique en sciences humaines», Sudbury, Université Laurentienne, 2000, p. 153-172.

4 «André Lacelle et la critique», dans *Francophonies d'Amérique*, s. la dir. de Paul Dubé, n° 11, PUO, 2001, p. 91-101.

5 «Le mythe et la fonction identitaire dans les littératures d'expression française en Amérique du Nord», dans *Francophonies plurielles*, Actes des colloques du Regroupement pour la recherche sur la francophonie canadienne dans le cadre de l'ACFAS (Chicoutimi, 1995, et Montréal, 1996), s. la dir. de Gratien Allaire et d'Anne Gilbert, Sudbury, Institut franco-ontarien, 1998, p. 99-126.

6 «Mythe et ethnicité dans divers romans de Maurice Constantin-Weyer, inspirés par le Canada», dans *L'Ouest français et la francophonie nord-américaine*, Angers, Presses de l'Université d'Angers, 1996.

7 «Propagande, mythe et utopie dans la littérature franco-américaine», dans *Croire à l'écriture. Études de littérature québécoise en hommage à Jean-Louis Major*, s. la dir. d'Yvan G. Lepage et de Robert Major, Orléans, Les Éditions David, 2000, p. 355-366.

8 «*Tchipayuk* de Ronald Lavallée, un roman en quadrichromie», dans *Mélanges de littérature canadienne-française et québécoise offerts à Réjean Robidoux*, s. la dir. de Yolande Grisé et Robert Major, Ottawa, PUO, 1992, p. 337-350.

9 «L'acculturation dans *Tchipayuk* de Ronald Lavallée», dans *Après dix ans... bilan et prospectives*, Edmonton, CEFCO et Institut de recherche de la Faculté Saint-Jean, 1992, p. 115-125.

Table des matières

Présentation   7

Plaidoyer pour une nouvelle critique
    adaptée aux «petites» littératures   13

Quand la déterritorialisation «déschizophrénise»
    ou De l'inclusion de l'anglais dans la littérature
    d'expression française hors Québec   23

Le rôle particulier des éléments exogènes dans l'œuvre
    de Jean Marc Dalpé et de Louise Fiset   55

Andrée Lacelle et la critique   75

Le mythe et la fonction identitaire dans les littératures
    d'expression française en Amérique du Nord   93

Mythe et ethnicité dans divers romans de Maurice
    Constantin-Weyer, inspirés par le Canada   117

Propagande, mythe et utopie dans la littérature
    franco-américaine   155

Tchipayuk de Ronald Lavallée,
    un roman en quadrichromie   173

L'acculturation dans *Tchipayuk* de Ronald Lavallée   193

Table des articles   205

Achevé d'imprimer
en août deux mille un, sur les presses
de l'Imprimerie Gauvin, Hull, Québec